ゼロからはじめる

哲学対話

哲学プラクティス・ハンドブック

河野哲也［編］

得居千照・永井玲衣［編集協力］

ひつじ書房

はじめに

本書は、いま話題になっている哲学カフェや子どもの哲学を、これから実施してみたいなと考えている人や、すでにそれらを実施しているけれども、いろいろ疑問を抱えていたり、うまくいかないで悩んでいる人に向けて、少しでもそのお手伝いになればと思い書いたものです。

本書の執筆者たちは、誰もが、街や学校、大学で、哲学プラクティスと呼ばれている哲学対話の実践を長く続けてきた人たちばかりです。たくさんの失敗も含めて、そこでさまざまな経験をしてきました。それをお伝えしたくて、できるだけ多様な現場や場面でハンドブックとして使えるように工夫しました。本当に初心者の人や不安がある人にこそ、手にとってほしいと思います。

哲学対話の司会役を「ファシリテーター」といいます。ファシリテートとは、ご存知のように、英語で「やりやすくする」「促す」「円滑にする」という意味です。ですから、対話のファシリテーターとは、話を仕切ったり、全体をまとめて結論づける役ではなく、誰もが参加しやすく、話しやすく、互いに理解しやすいように、その場を円滑にする役目をいいます。

これからの社会は、多様な人たちがそれぞれに積極的に参加していくことができる場所にする必要があります。会社では、指示を待っているのではなく、それぞれの持ち場で創造的に仕事を行う人が求められています。学校では、子どもたちに積極的に学びに取り組んでいってもらう必要があります。地域では、地域づくりや地方政治に今よりももっと多様な人たちに参加してもらいたいと思われています。

そのような集団を作るのに一番有効な方法が、哲学的な対話を行うことです。ここで言う「哲学」とは、人間に共通するテーマについてじっくり考える活動のことを指します。一つのテーマについて、他者と一緒に、じっくり考えながら話し合う活動が哲学対話です。そして、対話には、誰でもが自由に安心して発言できる場づくりが一番大切です。ファシリテーターの役割は、そうした安心できる自由な対話の場を作り上げることに尽きます。そうした場ができれば、かならず、話し合いは生産的になり、参加者は深く考えるようになり、集団の結束力は向上します。

哲学対話によって、読者の皆さまが良い人生を送り、皆様の組織がより良い組織となり、より良い社会となることを執筆者は願っています。

目次

序章

深い対話とはなにか

1　哲学対話の定義、歴史、関連分野

1　哲学対話とは？

「哲学対話」という日本語の語句が広く使われるようになったのは、かなり最近のことで、早くとも二〇一〇年以降のことです。哲学カフェや子どもの哲学などの形で行われる哲学的な対話が、いつしか関係者の間で「哲学対話」と呼ばれるようになり、哲学カフェなどの活動が広まるにつれて、人々の共通の語彙になったのです。

哲学カフェや子どもの哲学、哲学相談（哲学カウンセリング・哲学コンサルティング）などの活動をまとめて「哲学プラクティス」と呼ぶことがあります。「プラクティス」は英語で「実践」という意味で、「哲学プラクティス」とは「哲学を実践すること」です。そして、哲学プラクティスの主要な方法として用いられるのが、哲学対話です。

哲学プラクティスの目的や手法は実践者によってさまざまであり、それに応じて哲学対話のあり方もさまざまです。だから、哲学対話の一般的な定義はありません。ですが、さまざまな形の哲学対話の間にゆるやかに共通して見られるいくつかの特徴があります。それをまとめると次のように言うことができるでしょう。

哲学対話とは、人が生きるなかで出会うさまざまな問いを、人々と言葉を交わしながら、ゆっくり、じっくり考えることによって、自己と世界の見方を深く豊かにしていくこと。

もう少し詳しく見てみましょう。

(1) 哲学対話には問いがある

哲学対話にはテーマがあり、問いがあります。テーマや問いを設定せずに哲学対話が始まることもありますが、その場合は対話のなかでテーマや問いを探していくことになります。哲学対話は何らかのテーマや問いをめぐって進むのです。そして、そのテーマや問いが哲学対話で参加者によって共有され、参加者をつなぐもっとも大切なものになります。

逆に言えば、参加者は他のものは共有していなくてもいいわけです。いや、共有していないほうがいいとすら言えるかもしれません。互いの職業、地位、履歴、人柄、名前すら知らなくても、テーマや問いを共有していれば、哲学対話は成立するし、その方がよい哲学対話になることがあります。

哲学対話ではありとあらゆる問いを問います。人間と人間をとりまく世界のあらゆるものを、哲学対話のテーマにすることができます。それでも、あえて哲学対話で取り上げられる問いの特徴をあげるとすれば、当たり前のことをあえて問う問い、そしてそう簡単に答えの出ない問い、ということになるでしょう。

たとえば「幸せとは何か」「なぜ善悪の区別があるのか」「自由であることはよいことか」などです。誰もが「幸福」「善悪」「自由」などの言葉を理解していると思っています。それぞれの人がそれぞれの幸福観をもち、幸福になりたいと願って生きているし、たいていの人々は善悪をわきまえていて、悪いことをすれば非難されるし、人は自由でありたいと願うけれど、行き過ぎた自由はよくない結果を生む、などと思っています。

しかし、ひとたびこれら当たり前のことをめぐる問いを問うと、実は、みんなさまざまに異なる意見をもち、誰も最終的な答えを知らないことに気づいて驚きます。その驚きから哲学対話は始まります。これらは、生きるなかで誰もが出会うことのある問いですが、それらを日常生活のなかで立ち止まって考えることは、あまりありません。それは、「幸福」も「善悪」も「生きること」もあまりに当たり前のこと、わかりきったこととされているからです。しかし、これらのことをいったん考え始めると、それらはまったく当たり前のことなどではないことがわかるのです。

もっとも、そのような大きな問いばかりを哲学対話は取り上げるわけではありません。もっと小さな問い、日常生活のあちこちに転がっていて気にも留められないためにふだんは問われない問いも、取り上げます。たとえば「わかっているのにやめられないのはなぜか」「女子力とは何か」「義理のおみやげは必要か」。一見したところ、わざわざ問うまでもない些細な問い、ひょっとするとふざけた問いにも見えるかもしれませんが、ふと不思議に思ったことは何でも問いにしていいのです。

そして、一見小さな問いが大きな問いにつながることは、よくあることです。たとえば、「義理のおみやげは必要か」という問いは、義理みやげの「義理」が、実は、誰が決めたわけでもなく誰が同意したわけでもない規範であると気づけば、「わたしたちが正体不明の規範に縛られるのはなぜか」という大きな問いに発展していってもおかしくありません。

哲学対話で問われる問いは以上のようなものですから、おのずから、そう簡単に答えの出ない問いであることになります。事典やインターネットで調べればすぐに答えの出るような問いでもないし、先生や専門家や人生の達人に尋ねれば解決するような問いでもありません。だから、まずは自分で考え、他の人々と共に考えるしかないのです。

そこから哲学対話のさらに二つの特徴が出てきます。一つは、だからこそ哲学的な問いは対話を必要とするということ、哲学的な問いを考える唯一の方法は対話だということ。もう一つは、哲学的な問いの最終的な答えは誰も知らないのだから、対話に参加する人々の関係は平等・対等になる、ということ。哲学的な問いが平等・対話の場を拓くのです。

（2）哲学対話は答えを急がない

哲学的な問いは、もともとそう簡単に答えの出ない問いですから、急いで答えを求めてもしかたがありません。そもそも確かな答えにたどり着くのかどうかさえ、誰にもわからないのです。だから、哲学対話はゆっくり、じっくり進みます。このように、速やかに答えを出さなければならないという圧力から自由であることも、哲学対話の顕著な特徴です。

哲学対話では、ふつう所定の時間内に結論のようなものは出ないし、出す必要もありません。ときどき答えへの筋道やヒントが垣間見えて終わることはありますが、対話が迷路に迷い込み、わけがわからなくなって終わることもあります。みんなで少しでも答えに近づくことができたという経験は、もちろん貴重ですが、みんなでわからなくなっていくという経験も、捨てたものではありません。

なぜなら、そのように答えが出そうもない問いを、ゆっくり、じっくり考えることは、その結果がどうであろうと、それ自体が大切なことだからです。先にも見たように、哲学対話は、当たり前だと思っていたことについて、実はみんな異なる意見をもち、誰も最終的な答えを知らないという気づきから始まります。そのさまざまに異なる意見を互いに表明しあい、理解しあい、対置しあい、問いあいながら、吟味していくなかで、自分の考えが以前より明らかに、深く、豊かになっていくこと、それ自体が他では得がたい経験です。

そして、対話を終了するとき、結局自分の納得する答えが見つかっていなかったとしても、あるいは答えの糸口すら見つけられずに途方に暮れてしまったとしても、各自の考えが少しでも明らかに、深く、豊かになっているとすれば、もう言うことはありません。そして、そういう経験を通じて、一つの問いを心に温め、ねばり強く考え続ける、たくましい思考の態度が育つのです。

自分の意見を他の人々の意見に照らして吟味するさいに、もっとも大切なことは、自分の意見の根底にある暗黙の前提に気づくことです。どの意見にも前提となっている認識や判断や価値観がありますが、それが明確に意識されることはめったにありません。それが原因で互いの意見を理解しあえず、不和が生じることがよくあります。自分の意見を吟味することによってその前提を明らかにすることは、自分の意見を明らかに、深く、豊かにしていくために必要なことであると同時に、互いの意見を理解するためにも必要なことです。それはゆっくり、じっくり考えるなかではじめて可能になることなのです。

こう言うと逆説的に聞こえるかもしれませんが、自分の考えが以前より明らかに、深く、豊かになることは、新たな問いを見出すことでもあります。だから、哲学対話が成功するということは、新たな問いが見出されるということでもあります。哲学対話を重ねれば重ねるほど問いが生まれ、さらに哲学対話が続いていく——それは、言い換えれば、自己と自己をとりまく世界の見え方がつねに新たになっていくということでもあります。

（3）哲学対話は自他の考えが変わっていくことを大切にする

このように、一つのテーマや問いをゆっくり、じっくり対話しつつ共に考えることによって、われわれの考えは変わっていき、われわれ自身も変わっていきます。それを自覚し認めあうところから始まることも、哲学対話の際立った特徴です。一般に、議論のなかで自分の考えを変えることはよくないとされています。「コロコロ意見を変える」「節操がない」「日和見主義者だ」など、考えを変えることに関する否定的な決まり文句は少なくありません。しかし、自分の考えを変える自由がなければ、哲学対話は成り立たないのです。そして、人々と言葉を交わすなかで、おのずから自分の考えが変わっていく経験ができること、それが哲学対話の醍醐味だ、と言っても過言ではないでしょう。

以上が哲学対話の特徴です。これらの特徴から、哲学対話を成立させるためにもっとも大切な条件が見えてきます。それは自由です。問いを立てる自由、意見を表明する自由、意見に対する問いを立てる自由、答えを出す圧力からの自由、そして、自分の考えを変える自由……。自由な空間で、平等・対等な人々が、人が生きるなかで出会うさまざまな問いを、言葉を交わしながら、ゆっくり、じっくり考えることによって、自己と世界の見方を深く豊かにしていくこと、それが哲学対話です。

2 哲学対話の歴史

先に述べたように、「哲学対話」という日本語の語句は、哲学プラクティスが広まるとともに流布するようになったものです。その哲学プラクティスの歴史は、ドイツの哲学研究者、ゲルト・アーヘンバハ（Gerd Achenbach）が、一九八〇年代にドイツ西部の町で哲学プラクティスを開始するとともに、国際哲学プラクティス協会を設立したことに始まります。

大学で哲学博士の学位を取得するとすぐに、アーヘンバハは自宅に哲学相談所を構え、哲学相談（哲学カウンセリング）を始めました。「プラクティス」に相当するドイツ語の「プラクシス」は、ドイツでは医師が開業して医院を構えることやその医院を指すことがあります。アーヘンバハは開業して哲学相談所を構え、それを「哲学プラクシス」と名づけたわけです。アーヘンバハはその後長きにわたり、国際哲学プラクティス協会の会長を務め、今日に至るまで哲学相談を続けています。

哲学相談としての哲学プラクティスは、ヨーロッパだけでなく、間もなく世界中に広がっていきました。なかでもよく知られているのは、アメリカ合衆国のルー・マリノフ（Lou Marinoff）です。マリノフは、全米哲学プラクティス協会（APPA）を設立するとともに、ニューヨーク市立大学に哲学プラクティスの研究・教育を行う部門を開設し、哲学プラクティスの専門教育を行っています。

このように、哲学プラクティスは哲学相談として始まりましたが、やがて他の形の哲学対話が合流していくことになります。哲学カフェはその一つです。

アーヘンバハに示唆を受けて哲学相談の活動を始めていたフランスの哲学研究者、マルク・ソーテ（Marc Sautet）は、一九九〇年代初めにパリの街角で哲学カフェを始めました。それがたちまち世界中に広がり、哲学研究の専門家ではない人々、いわば哲学の素人の人々が、哲学的な対話を楽しむようになったのです。当初哲学カフェを開く人々のなかに哲学相談を実践する人々が多かったこともあって、哲学カフェは哲学プラクティスとして認知されるようになりました。

哲学プラクティスに合流した哲学対話のもう一つの形は、子どもの哲学です。子どもの哲学は、哲学相談とは関係なく、一九七〇年代にアメリカ合衆国で始まりました。ニューヨーク市にある名門大学の哲学教授だったマシュー・リップマン（Mathew Lipman）は、一九六〇年代に大学生が論理的に考えることができないことに気づき、もっと早い時期から哲学的思考を学ぶ必要があると考えました。そこで、ニュージャージー州の教員養成系の大学に「子どもの哲学推進のための研究所」を設立し、教育法と教材の開発、教員の養成に努めたのです。その教育法をリップマンは「子どものための哲学（Philosophy for Children）」と名づけました。

リップマンに共感する人々によって、子どもの哲学は瞬く間に世界中に広がり、「P4C（ピー・フォー・シー）」の愛称で親しまれるようになりました。今日では、世界各地でその地域独自の子どもの哲学の展開が見られ、その呼称も「子どもとする哲学」「学校でする哲学」「青少年のための哲学」など多彩です。子どもとする哲学もやがて哲学プラクティスの一つの形として認知されるようになりました。

もう一つ、実践している人々の数も少なく、あまり知られていませんが、対話を考えるうえでとても興味深い哲学プラクティスの形を紹介しておきましょう。ソクラティク・ダイアローグです。これはもともと、二〇世紀前半のドイツの哲学者、レオナルト・ネルゾン（Leonard Nelson）が哲学教育の手法として実践していたものですが、グスタフ・ヘックマン（Gustav Heckmann）をはじめとするネルゾンの弟子たちが二〇世紀の後半に哲学対話の手法として洗練し、確立したものです。

当初はネルゾン派の人々のサークルのなかでしか実践されていませんでしたが、オランダの哲学研究者、ヨース・ケッセルス（Jos Kessels）が、地域の問題を解決するための会議、企業や公的機関の職場研修などにソクラティク・ダイアローグを活用する会社を設立し、成功を収めてから、哲学対話の一つの手法として認知されるようになりました。ソクラテス（Socrates）の対話をもとにプラトン（Plátōn）が書いた一群の作品『ソクラテスの対話（対話篇）』と区別するため、「ネオ・ソクラティク・ダイアローグ（NSD）」と呼ばれることもあります。

日本では、これらの哲学プラクティスの形のうち、哲学カフェと子どもの哲学がもっとも早くから実践されてきました。いずれも、すでに一九九〇年代に先駆的な試みがありますが、二〇〇〇年ごろから試みる人々が増え始め、二〇一〇年以降広く全国各地で実践されるようになりました。その先駆けとなったのは、大阪大学の臨床哲学研究室出身者が二〇〇五年に結成した哲学対話団体「Café Philo（カフェフィロ）」です。

ソクラティク・ダイアローグは、カフェフィロのメンバーを中心に実施されていますが、それほど広く認知されていません。哲学相談も研究されていますが、実践例はまだ少数に留まります。

さて、哲学プラクティスの手法としての哲学対話の歴史を辿ってきましたが、哲学的な対話そのものの歴史は、言うまでもなく、それよりはるか昔にさかのぼるものです。それは、ネルゾン派のソクラティク・ダイアローグをわざわざ「ネオ」という接頭辞を付けて区別しなければばならないことに、如実に表れています。

古代ギリシャの都市国家、アテナイの市民であったソクラテスは、対話によって哲学を実践し、対話のみを哲学の方法としました。ソクラテスは、〈人が生きるうえで大切なことを誰もほんとうには知らない〉という自覚を、自らの対話の出発点としました。いわゆる「無知の知」です。

そのソクラテスの対話を、ソクラテスを師と慕っていたプラトンは生き生きと再現し、作品として残しました。それが「ソクラテスの対話（対話篇）」です。しかし、プラトンの学生だったアリストテレス（Aristotélēs）は対話形式ではなく、文章形式の作品を書きました。それ以来、哲学的思考は、まれな例外を除いて、文章形式で表現されるようになり、哲学者は文章を書くことを主な仕事とするようになりました。そして、対話は忘れられました。

そのような状況を、鷲田清一は、哲学が「モノローグ」に陥っている状況と捉え、哲学者が「聴く」ことによって、哲学の原初の形である対話を取り戻すことの重要性を訴えました。そのような哲学の原点回帰として、哲学プラクティスの方法である哲学対話を捉えることもできるでしょう。そのことは、哲学プラクティスを創始した人々自身も自覚しています。ソクラテスの対話を手本と仰ぐのは、ネオ・ソクラティク・ダイアローグのネルゾン派だけではありません。哲学カフェのソーテをはじめ、哲学プラテクィスに関わる多くの人々が、自らの実践がソクラテス的な対話による哲学を受け継ぐものだと自覚しているのです。

3 哲学対話の関連分野

哲学対話と関連のある、または哲学対話と類似した活動があります。すでに触れた会話やディベートがまず挙げられます。その他にも、対話型の授業、批判的思考の教育、職業現場での対話型の研修、地域づくりのための対話集会、そして、心理学の分野で発展したさまざまな対話型の療法やワークショップなどです。

ここでは、哲学対話と会話、哲学対話とディベートの関係を考えてみましょう。それは、その他の関連分野を考えることにも役立つでしょう。その他の関連分野のうち、心理学の療法やワークショップについては本章の3節で、その他の分野については2章で、それぞれ触れることになります。

先に会話と哲学対話、ディベートと哲学対話の相違点を明示しましたが、それは哲学対話の特徴を際立たせるためであって、哲学対話のほうが優れているとか大切だとかを主張するためではありません。会話は、ドイツの哲学者、ゲオルク・ジンメル（Georg Simmel）も指摘するように、人間の社交のもっとも基本的な形です。会話では、人々の間で言葉が交わされているること、そしてそれを楽しむことが大切なのであって、自他の考えを深く豊かにすることや、その他、特定の目的があるわけではありません。

では、哲学対話と会話は無関係なのでしょうか。そんなことはありません。もし、哲学対話に会話の要素がまったくなかったとしたら、どんなにつまらないものになってしまうことでしょう。言葉を交わすこと自体の楽しみ、そのなかで感情が行き来することの楽しみもまた、哲学対話の魅力の一つです。ただ、哲学対話はそこでは終わらないのです。

ディベートでは、一つの問題をめぐって賛成のチームと反対のチームに分かれ、それぞれの理由や根拠を表明し、互いに相手の立場を崩して、勝敗を競います。審判がいて、それぞれの主張や反論の説得力をもとに勝敗を判定します。テーマを設定し、それをめぐって人びとが互いに言葉を交わしあうところは対話と共通ですが、次のような大きな違いがあります。

まず、ディベートでは自分の意見を述べる必要はありませんが、対話では自分の意見を述べます。ディベートでは、自分がほんとうに賛成か反対かは重要ではありません。賛成または反対の立場に分かれ、その立場をどのように擁護することができるかが肝心です。それに対して、対話では自分自身の意見や疑問を表明することが不可欠です。

次に、ディベートには勝敗がありますが、対話にはありません。ディベートは一種の競技であって、勝敗を決することが終着点です。勝利を目指して、自分の立場を護り、相手の立場を崩そうとします。それに対して、対話にとって勝敗は初めから問題ではありません。対話でも、自分の立場を護り、相手の立場を崩そうとすることがありますが、それは勝つためではなく、互いの意見をもっと明確に理解し、誤りを正してよりよい意見を探していくためです。それが対話の終着点です。ディベートでは自分の意見を変えずに守り抜くべきだが、対話では自分の考えを変えてもいい、むしろ変えて当然だ、ということになります。

ディベートは、異なった立場に立って考えること、適切な理由や根拠をあげること、説得力のある言葉遣いをすることなどの技能を養うことに役立つ、優れた教育手法です。しかし、それだけでは真の意味で思考することにはなりません。真の意味で思考するためには、哲学対話が必要なのです。

2 対話の意義と探求の共同体

1 対話の意義

哲学対話とは、人が生きるなかで出会うさまざまな問いを、言葉を交わしながら、ゆっくり、じっくり考えることによって、自己と世界の見方を深く豊かにしていくこと、でした。哲学カフェや子どもの哲学で、そのような経験をすることは、それ自体が意義深いことです。それは強調しておきたいと思います。

とはいえ、哲学対話の意義はそれに尽きるものではありません。とくにわたしたちが生きる現代社会において、哲学対話はさまざまな実際的な意義、いわばさまざまな効用をもっています。そのうち三つを考えてみましょう。

（1）多様な人々の共生

まず、哲学対話は多様な人々が共生する社会を築くことに役立ちます。

人は一人で生きていくことはできず、ほかの人々と共に生きていかなければならないこと、それは誰もが知っていることです。そして、共に生きていかなければならない他の人々のなかには、ものの考え方や感じ方、価値観・人生観・世界観がずいぶん異なる人々がいることも、誰もが知っています。

このことは、文化的背景の異なる人々の間で顕著ですが、共通の文化的背景をもつ人々の間でも、実はものの考え方や感じ方がさまざまに異なることを知って、驚くことがあります。まったく同じ人間はいないのです。だから、人々の間に衝突や不和が生じます。それでも、わたしたちは共に生きていかなければなりません。とくに現代社会では、グローバル化の急速な進展の影響もあって、これまで以上に多様な人々の共生が求められます。

価値観・人生観・世界観を異にする人々が、人が生きるうえで大切な問いを、互いの意見を尊重しあいつつ考える哲学対話は、互いに理解しあい、互いに変わっていくことを促し、共に生きていくことを可能にする最良の手段です。そのような対話の技法（スキル）や作法（マナー）を身につけた人が増え、対話の文化が根づくことが、多様な人々が共生する社会を築くことに貢献するのです。

そのような対話の文化の醸成に哲学対話は貢献します。それを裏づける事実の一つとして、子どもの哲学の先進地域には、アメリカ合衆国ハワイ州、オーストラリア、イギリスなど、多文化地域が多いことが挙げられます。多文化共生のための教育の手法として評価されているのです。

(2) 風通しのいい社会

多様な人々が共に生きることのできる社会を別の角度から見れば、風通しのいい社会と言うこともできるのではないでしょうか。先ほども述べたように、同じ文化的背景をもつ人々の間でも、実はものの感じ方や考え方は多様です。しかし、その多様性が十分に認められず、なかったことにされることが、よくあります。みんな感じ方も考え方も同じだということにして、少しでも違った「変な」感じ方や考え方が出てくると、無視したり排除したり抑圧したりするのです。そのような傾向は、どの社会にも見られますが、とくに日本では強いとよく言われます。

人と違うことを恐れ、「変な」人だと思われないように気を遣い、発言も行動も慎み深くする。みんな同じ感じ方や考え方をすることになっているので、「以心伝心」や「阿吽の呼吸」が理想とされ、「男なら／女ならわかるよな」「日本人なのにわからないのか」といった言説がまかり通る。でも、本当はみんな同じはずはないので、互いに顔色をうかがい、腹をさぐり、空気を読み、角が立たないように違いを調整する。とても息苦しい社会です。

そのような息苦しさを和らげて風通しのいい社会を築くことに、哲学対話は貢献します。問いを封じるのではなく、問いを歓迎する文化、自由に、率直に、語り合うことを楽しむ文化、互いに聴きあい、理解し合おうとする文化、互いの意見を吟味しながら、さらに納得のいく意見を創ろうとする文化……そのような文化のある社会は、どんなに風通しがよく、居心地がよく、生きやすいことでしょうか。成熟した社会とはそのようなものだと言ってもいいかもしれません。

(3) まともな集団的意思決定

哲学対話は、自分の主張や立場を守り通すためのディベートではなく、互いの考えが変わっていくことを前提とする言語活動です。だから、哲学対話は何かを決定することを目的とするものではありません。しかし、実は、集団的意思決定の場面でも大切な役割を演じることができます。

国家や地方の政策から、地域づくりや町づくり、企業や学校などの経営・運営に至るまで、さまざまな集団的意思決定の場面があります。そうした場面では、たいていの場合、最終的には多数決などによって政治的な決着をしなければなりませんが、それに至るまでにみんなで意見を交わしながらよく考える過程、いわゆる熟議がなければ、よい意思決定はできません。熟議は、それが重大な事柄に関われば関わるものであるほど、哲学的な思考に近づきます。人々の生き方や人々の価値観、人生観、世界観に関わるような、根本的な問いが問われずにはいないからです。

たとえば原子力発電をめぐる政策を決定するときには、たんに原子力に関わる科学技術的な問題や、発電所の設置や運用をめぐる行政的な問題だけでなく、原子力発電は人々が生きることにどのように貢献するのか、あるいはしないのか、わたしたちは原子力発電のリスクをどこまで、どのようにして負うことができるのか、あるいはできないのか、というような問いを問わなければ、ほんとうによい決定ができるはずがありません。そして、そのような問いは、そもそもよい生とはどのような生か、幸福とは何か、わたしたちはどのような世界に生きたいのか、という根本的な問いにつながっています。

原子力発電の問題をはじめ現代社会が直面するさまざまな問題は、たいてい、そのような性質のものです。科学技術の専門家も行政の専門家も、単独では、最善の答えを出すことはできません。だとすれば、科学技術や行政の専門家たちの知見だけに基づいて政治的なディベートを繰り返すだけでは、まともな意思決定はできないはずです。広く関係者を巻き込んだ熟議が必要です。

そのような熟議に、哲学対話の技法と作法、そして哲学対話によって培われた対話の文化は貢献します。そして、それを介して、よい集団的意思決定にも貢献します。それは、言い換えれば、民主主義に貢献するということです。

2　探求の共同体

哲学対話では、そう簡単に答えの出ない問いをゆっくり、じっくり考えます。その結果、最終的な答えが出ることはめったにありません。それどころか、ますますわからなくなって終わることもしばしばです。はたして最終的な答えなんてあるのでしょうか。この問いにはいくつかの答えがあります。「考えている問いがまともなものであるかぎり答えはある」「そもそも問いがあるところ答えが想定されている」「みんなの意見が一致する答えが答えだ」「最終的な答えはないし必要ない」……。哲学対話を実践する人々の間でも、答えは分かれます。

ですが、一つはっきりしていることがあります。それは、みんなで対話を通じて考えることができるためには、最終的に正しい答えに辿り着くことはできなくても、少なくとも、よりよい答えを求めなければならない、ということです。「よい」は「納得がいく」「共有できる」「筋が通っている」「もっともな理由がある」などと言い換えても構いません。

だからこそ、哲学対話では「なぜ?」「どういうこと?」「だとすれば〜ということになりませんか?」といった問いを積み重ねるのです。そうでなければ、対話は前に進まず、自分の意見をもっと深く豊かにすることもできません。

哲学対話を初めて経験した人が「いろいろな意見が聞けて楽しかった」という感想を述べることがあります。もっともな感想ですが、そこで終わってしまっては、まだほんとうの哲学対話の楽しさを知ったことになりません。「いろいろな意見を聞く」ことは哲学対話の出発点にすぎないからです。そこから、対話を通じて共にもっとよい答えを探していきます。よりよい答えを探し求めるのですから、それは一種の探求です。哲学対話はみんなで行う共同の探求なのです。

前節で紹介した子どものための哲学の創始者、リップマンは、その構想の中心に「探求の共同体(Community of Inquiry)」という理念を置きました。これは、アメリカ合衆国のプラグマティズムの哲学者、チャールズ・サンダース・パース(Charles Sanders Pierce)が提唱した、問い(疑念)から始まり信念の確定に終わる「探求」という概念を継承するものです。リップマンは、人間のあらゆる知的な活動の基盤を、哲学的な対話によって成立する共同の探求に求め、探求のない教室を探求のある教室、探求の共同体に変えることを目指したのです。

リップマンは、探求の共同体によって育まれる思考力を四つの側面から説明しました。当たり前だと思われていることをあらためて問うこと（批判的思考）、その問いを自分自身で考えること（自律的思考）、コミュニケーションを通じて他の人々と共に考えること（共同的思考）、それによってよりよい意見を形成していくこと（創造的思考）です。批判的思考はただ問い、疑うことに終わるのではなく、新しい意見を生み出す創造的思考に発展することによって、自律的思考はただ一人孤独に考えることに終わるのではなく、他の人々とともに考える共同的思考に発展することよって、それぞれ十全なものになる、と言ってもよいでしょう。

批判的思考、自律的思考、共同的思考、創造的思考、これらがあらゆる学びの基盤であること、それは現代の教育関係者の多くが認めることです。また、そのための教育手法も数多く開発されています。先述のディベートや、クリティカル・シンキングなどもそうした手法に数えられるでしょう。しかし、そうした手法も、哲学的な対話による探求と結びついていなければ、その本来の目的を遂げることはできそうもありません。哲学対話は、あらゆる学びの基本なのです。

リップマンの子どもの哲学の理念と手法は、世界中の人々に受け継がれましたが、先に述べたように、それぞれの地域で独自の発展を遂げています。そのほとんどはリップマンの理念や手法から離れており、リップマンを忠実に継承する人々はむしろ少数派です。にもかかわらず、「探求の共同体」という理念だけは、多くの人が受け継いでいます。

さて、学校教育をはじめ教育というものは、学ぶ人がよりよく生きるためにあるはずです。しかし、学校で学んだことは文字通り机上の空論にすぎず、せいぜい上級の学校に進学することに役立つだけだ、というシニカルな見方が昔からあります。いわば学校知と生活知が乖離しているのです。そこで学校知と生活知を結びつけるために、いろいろな手法が工夫されています。「総合的な学習」や「問題解決型の授業」はまさにそのための手法でしょう。

しかし、学校知と生活知を結びつけるために最終的に必要なのは、やはり哲学的な対話です。さまざまな教科で与えられる情報は、情報どうしの関係とそれぞれの情報の意味をある程度明らかにした形で、つまり知識として、与えられますが、その知識が自分の生にとってどのような意味をもつのかを明らかにし、知識をよりよい生の探求に結びついた知、いわば知恵にするには、哲学的な対話が必要なのです。哲学対話があらゆる学びの基本であると言うことができる理由は、ここにもあります。

探求の共同体という理念は、もともと子どもの哲学に由来するものですが、それに限定されるものではありません。それは、さまざまな形の哲学対話に共通する理念だと言ってもいいでしょう。先ほど述べた哲学対話の意義はどれも、この探求の共同体に深く関わっています。言葉が交わされていることとそのこと、そしてそれに伴う楽しさを中心的な価値とする会話と哲学対話の主な違いも、共同的な探求を志向するかどうかにあるのです。

そして、探求の共同体の理念と手法は、哲学対話の周辺にあるさまざまな対話的活動を真に意義深いものにするために役立ちます。たとえば、対話型の授業、クリティカル・シンキングの教育、職業現場での対話型の研修、地域づくりのための対話集会などです。その理由は、集団的意思決定に哲学対話が役立つ理由と、同じものです。

3 対話と思考の関係に関する心理学

1 哲学プラクティスと心理学

哲学プラクティスと心理学のあいだには強い関連性があります。哲学プラクティスにおける対話は、思考することとケアすることに関わります。哲学的な対話は、参加者の思考を促し深めるだけではなく、参加者が相互によりよく理解しあい、集団としての絆を強める効果ももっているからです。思考とケアの両方の面において、哲学プラクティスは心理学と結びついています。

2 ケアの心理学

まず哲学対話におけるケアリングの側面と心理学との関係を見ていきましょう。

ミルトン・メイヤロフ（Milton Mayeroff）は、『ケアの本質』という著作のなかで、「一人の人格をケアするとは、最も深い意味で、その人が成長すること、自己実現をすることをたすけることである」と述べています。

この意味で、対話にはつねに相手に対するケアが含まれているといえるでしょう。対話は参加者相互のケアなしではありえないし、ケアすることから分離されれば、思考そのものも成立しなくなるからです。ケアは感情と結びつき、ケアと結びつくことで思考は感情的な価値を帯びるようになります。もし思考から感情的な価値が取り除かれてしまうなら、思考は動機を失って、停滞してしまうでしょう。

哲学プラクティスのさまざまな形態のなかでは、とくに哲学相談と子どもの哲学にはケアの要素が強く関係してきます。

古代ギリシャ・ローマ時代のエピクロス派やストア派では、哲学は日常生活の中で人間が直面するもっとも苦しい問題に取り組むための技能（アート）と考えられており、哲学者は「人間生活の医師」とみなされていました。

しかし心理療法が専門職として確立している現在では、哲学相談が心理学的カウンセリングとどう異なるのかに関しては、専門家の間でも鋭い意見の対立があります。心理療法とは、やはり主に対話という手段を用いて、クライエントの抱えている精神障害や心身症、心理的諸問題を治療することにあります。他方、哲学相談は、病理や障害の治療を目的とはしていません。それは、哲学プラクティスで著名なピエール・アド（Pierre Hadot）によれば、「わたししたちのあり方をより豊かにし、わたしたちをよりよいものにしていく過程である。…それはわたしたちの生活全体を切り替える転換であり、生活苦を耐え忍んでいる人の人生を変えることである」といいます。哲学相談は、人生の選択のさまざまな場面、たとえば、進学、就職、家族、引退などでの問題や困難をテーマとして対話がなされるのであり、これは治療行為ではまったくないと言えるでしょう。

哲学対話を実践する人たちは一般的に、ある人間の行動を理解するのにもっともよい視点とは、その人が有している準拠枠やその人が置かれている文脈の内部の視点にたってものごとを眺めてみることだと考えています。この点において、ある人たちは、哲学相談は、たとえば、カール・ロジャース（Carl Rogers）の「クライエント中心的療法」のような、治療的な関係の中でクライエントが自己理解を深め、自己管理によって自身の問題を解決することを目指す立場と共通性があるといいます。ピーター・ラービ（Peter Raabe）のような哲学対話の実践家は、哲学相談は心理学的カウンセリングとオーバーラップする部分があり、それゆえ明確な方法論をもつべきだと主張します。しかし他方で、アーヘンバハは、哲学相談は明確な方法などはもつべきではないし、明確に心理学的カウンセリングとは距離を置くべきだと主張します。

しかしながら、対話そのものが有しているケアリング効果は、それが心理療法的な対話であろうと、哲学的な対話であろうと、その力を現してくると言えるでしょう。近年、精神医学や心理療法の分野で急速に注目されている「オープンダイアローグ」も、対話のもつ本来の力によってクライエントの治療を目指したものです。オープンダイアローグは、一九八〇年代にフィンランドのヤーコ・セイックラ（Jaakko Seikkula）たちによって開発された精神科医療のアプローチです。このアプローチの特徴は、投薬を抑えて、家族を混じえた治療ミーティング・チームを形成し、医師、看護師、クライエントとその家族が継続的に対話を行うことにあります。その際に重視されていることは、セラピストは診断をせず、クライアントによる問題提起から出発して問題を協働して定義していくことにあります。セラピストは、クライエントの発言とそれに対する多様な応答を促し、曖昧さや不確実性に耐えながら対話を続行していく能力が求められます。治療方針などを含む重大な事柄について、クライアントのいないところでは議論しないという透明性も重要な方針です。

オープンダイアローグは、統合失調症のためのセラピーとして開始され、投薬率の低さや社会復帰率の高さで大きく注目を浴びています。自閉症スペクトラムやうつ病などのセラピーとしても有効であることも分かっています。哲学対話を実践している方には、この簡単な説明を見ただけでも、オープンダイアローグが相当程度、哲学対話と同じ要素を共有していることに気付かれるでしょう。

ここから私たちは、哲学プラクティスを単に哲学のためだけの試みとは理解せずに、広く対話的な実践の一部として、これらの臨床心理学的な分野と比較あるいは協働しながら、対話という活動の奥深さを探求すべきだと思われます。

しかし哲学対話は他の対話とは異なる特殊な対話ですし、心理学的カウンセリングとは明らかに異なる特徴をもっています。哲学対話は実践的な哲学です。それは真理の探求であり、自分が当然視している考えや信念、常識、習慣などを反省的に検討し直す試みです。哲学対話は、自分の立場をどこまでも擁護しようとするディベートとは異なり、対話の過程の中で自分の考えが変容し、深まることが推奨されます。

こうした哲学対話のもたらす効果については、発達心理学における変容学習論を参照することができるでしょう。変容学習論によれば、私たちは社会において培われてきた意味パースペクティブを十分に自覚しないままに身につけ、それによってさまざまな物事を暗黙のうちに判断し、行動しています。この無批判的に習得された自分の意味パースペクティブの枠組みに気づき、それを自覚的に再構成する学習プロセスが変容的学習です。変容学習論者のジャック・メジロー（Jack Mezirow）によれば、過去に学習した事柄が妥当かどうかを反省的な対話を通じて検討することは、洞察に満ちた行動力を高めます。まさしく哲学対話は変容的な学習を目指した行為であると言えるでしょう。

3　批判的思考の心理学

哲学対話の目的でもあり、またその効果とされているのは、深い次元で思考することです。ここでいう「深い」思考とは、今述べた変容学習にも関連してきますが、無批判的に習得された考え方や信念、常識、習慣といった自分を拘束している枠組みに気づき、それを自覚して検討に付し、再構成するプロセスです。

こうした思考は「批判的思考（クリティカルシンキング）」と呼ばれます。「批判的」とは、ある主張や考え方の根拠を検討することです。哲学的思考は、この批判的思考を、他者のみならず、自分自身にも当てはめてみる自己反省（省察、リフレクション）的な態度に特徴があります。哲学対話とは、ただ哲学的なテーマについて議論することではなく、他者との議論を通じて自分の考えや信念、常識について批判的かつ反省的に思考していくことです。それによって、従来の枠組みにとらわれていた自分を解放し、以前より自由になるのです。批判的思考にとって対話はきわめて重要な契機です。対話をするときに、わたしたちは自分の考えを揺さぶられ、それまでの概念の検討を余儀なくされ、定義や意味や根拠に神経を払い、以前には考慮さえしていなかった選択肢に気がつきます。わたしたちは、対話によって、それなしでは決して検討することのなかった自分の考えや信念、常識を検討するようになります。

ここで参照できるのが、言語と思考に関する発達心理学の諸理論です。子どもの哲学の文脈では、ジャン・ピアジェ（Jean Piaget）よりも、人間関係のなかで子どもの発達を捉えたとされるレフ・ヴィゴツキー（Lev Vygotsky）の方がしばしば参照されます。たとえば、子どもの哲学を体系化したリップマンは、ヴィゴツキーが思考を対話の内面化であると考えている点に注目していました。ヴィゴツキーによれば、人間に特有の高次の精神活動は、最初は他の人々との協同作業の中で現れてきます。そうした間精神的な機能を、個々人が自分の精神内へと転化していくのです。ヴィゴツキーの有名な「発達の最近接領域」の理論によれば、子どもが自力で問題を解決する能力と、教師やクラスメートと一緒に協同作業することによって問題解決できる能力のあいだには差があります。教育においては、子どもを自分よりもよりできる人たちと協同の活動をさせて、子どもの成長を引き出すことが肝心なのです。このヴィゴツキーの理論を踏まえて、リップマンたちは、子どもが個人として示すパフォーマンスよりも高いレベルで行動するように刺激するには、共に探求するコミュニティが必要だと主張します。

また、ヴィゴツキーは、思考と言語との関係で独特の理論を展開しました。従来の哲学では、言語が思考を可能にする、あるいはその逆に、思考が言語を可能にするという二つの説が存在していました。それに対して、ヴィゴツキーは、子どもの発達段階の研究をもとにして、言語と思考とはもともと独立しており出発点が異なると指摘したのです。最初の段階では、思考はイメージに基づいていて、非言語的である。他方、言語は前知能的であり、思考とは結びついていない。それが二歳前後から思考と言語が結びつきはじめ、相互に依存するようになるといいます。言語と思考の相互依存関係は、時間をかけて、次第に緊密になっていくのです。言語には、コミュニケーションの機能と思考をチェックする機能の二つがあり、この働きも徐々に区別されていくというのです。このヴィゴツキーの説は、思考というものをどのように定義するかに関わってきます。

しかし、思考を対話の「内化」として捉える心理学の考え方は妥当でしょうか。わたしたちが哲学対話でしばしば経験するのは、他者との対話の最中に、わたし自身が真にひとりになる、あるいは、自分自身になるという経験です。他者のさまざまな発言を傾聴するさなかで、また他者がわたしの発言を傾聴してくれるさなかで、わたしの内部にあった複数の「声」が他者に吸い取られていき、わたしがわたしであるという一種の孤独の経験をするのではないでしょうか。この孤独は寂しいものでも悲しいものでもありません。むしろ自分が自分を取り戻すといった感じがするのではないでしょうか。

対話は、自分の内なる他者を外化します。対話のなかには、ヴィゴツキーなどの心理学者がいう内化とは別に外化の過程を見てとるべきではないでしょうか。これが、対話において、参加者が他者として決定的に異なりつつも、ある種の絆でつながるという不思議な現象を説明するように思います。哲学対話に関する実証的な研究によって、思考と言語との関係をより明らかにしていくことが期待されます。

さて、哲学対話において重要な役割を果たす批判的思考については、心理学や認知科学の分野ではかなりの研究の蓄積があります。「批判的思考」という言葉は、一九五二年のマックス・ブラック（Max Black）という言語哲学者が使ったのが初めてではないかと言われています。六〇年代から八〇年代はじめまで、教育哲学者のロバート・エニス（Robert Ennis）やジョン・マックペック（John McPeck）が反省的思考に言及しています。

その後アメリカ合衆国では、一九八〇年代後半に「思考力」「メタ認知」「認知スキル」といった概念のもとで、批判的思考力の育成を目指した教育運動が興隆します。バリー・ベイヤー（Barry Beyer）は、思考をスキル（技能）として指導する教育プログラムを作り出しました。そこでは、①実証可能な事実と価値主張との区別、②無関連な情報・主張・理由から関連するものの区別、③陳述の事実に関する正確さの決定、④情報の信頼性の決定、⑤あいまいな主張や議論の特定、⑥述べられていない仮説の特定、⑦偏見の指摘、⑧論理的誤りの特定、⑨推論系列における論理的非一貫性の認識、⑩議論や主張の強度の決定というスキルが提示されました。

これに対してリチャード・ポール（Richard Paul）は九〇年代初頭に、批判的思考には、性格や情動、信念といった人格の情意的側面も統合されるべきだと主張しました。ポールは、対話的、弁証法的な思考を重視して、ソクラテス的な問いを通して子どもの思考を刺激することで、対話的議論が生まれてくると考えました。そして、幼児から高等学校までを対象とする『批判的思考ハンドブック』を出版し、教育の指導をおこないました。こうして九〇年代の初頭のアメリカでは、「批判的思考力」「批判的読解力」「批判的思考と教育改革」といったことをテーマとした学会や会議が数多く開催されました。

批判的思考において目指されているのはなんでしょうか。リップマンは次のように指摘しています。「批判的思考が生徒の中に育むものは、その場かぎりの懐疑的な態度ではなく、行先が不明な中で長期にわたって信用することのできる信念体系を築く能力であると考えるほうが賢明だと私は思っている」。批判的思考は、よりよい問題解決やより確からしい信念を得るといったある目的のために、既存の知識や信念を吟味する過程です。

批判的思考は、現在の日本でもようやく教育の文脈で出現するようになりました。出処のはっきりしない情報や扇動的なプロパガンダがネットを通じて蔓延する現代では、市民リテラシーとしても求められています。

一九九五年にユネスコの発表した「哲学のためのパリ宣言」では、シティズンシップ教育としての哲学的討論が推奨されています。討論による哲学教育は以下の二つの点で市民のトレーニングに貢献すると述べています。

1）市民の判断力を鍛える。市民の判断力はデモクラシーの基礎である。

2）哲学教育は現代世界の諸々の大きな問題（とくに倫理の領域における諸問題）に関して市民各人が責任を負うことを教える。

哲学対話は、市民の自立心を鍛え、さまざまな形をとるプロパガンダに抵抗する能力を有する思慮深い人間を形成すると考えられているのです。

以上に述べてきたものは、哲学プラクティスと心理学の関係のほんの一部にすぎません。哲学プラクティスは、哲学・倫理学と心理学・認知科学が共同して研究を進めるべき分野です。

第2章　対話の目的と方法

1 対話を楽しむ、思考を深める

哲学カフェ、ブレインストーミング

1 哲学カフェとは

哲学カフェとは、一言でいうと、みんなで哲学をする場のことです。専門家が集まって議論する堅苦しい場ではなく、誰でもコーヒー片手に対話することができる、自由で開かれた場です。そうしたこともあって、街中のカフェや喫茶店などで開催することが多いため、「哲学カフェ」と呼ばれています。実際には、カフェだけでなく、地域のコミュニティ・センターなどさまざまな場で開かれます。「カフェ」とは自由で開かれた場であることを象徴する言葉だと言ってよいでしょう。

2 公共圏としての側面

見知らぬ市民が対話をするという意味では、哲学カフェは公共圏としての側面も有しています。その点で哲学カフェの活動は、公共哲学の実践であるということもできるでしょう。

それは、新たに公共圏をつくる、新しいコミュニティをつくるという運動でもあります。カフェや喫茶店で行う場合には、店主さんとの交渉が不可欠です。二〇名程度が話しあう場所になるので、費用と時間も含めて、理解を求める必要が出てきます。

公民館、区役所、などの施設で開かれる場合は、何らかのニーズ（地元の人たちの声を聞きたい、日頃は聞けない女性たちの声を聞きたいなど）から哲学カフェが求められる場合が多く、その場所のニーズを聞き取っていくことが大切です。

3　起源と日本での広がり

もともとこの活動は、一九九〇年代にマルク・ソーテという哲学研究者がパリのカフェで始めたといわれています。哲学の伝統と、カフェで議論する文化が組み合わさったフランスらしいイベントです。

日本でも、哲学カフェは全国に広がっています。インターネット上にも多くのカフェの情報が見られます。また、国内の一五〇か所の哲学カフェに参加したことがあるというインターネットのサイトで調べたところでは、全国で二〇〇か所以上で開かれているそうです（二〇一八年時点）。日本で最も早い時期から哲学カフェを開いてきたカフェフィロのような大きな団体から、個人で主宰している小規模のものまで、大小さまざまなカフェが、つねに日本のどこかで開催されているといっても過言ではないでしょう。

4　開催の様態

一つの哲学カフェの開催頻度はまちまちですが、多くて週に一回、少なくて年に数回といったところでしょうか。定期的に開いているものは月一回程度が多いようです。あるテーマについて哲学カフェで考えるきっかけをもった後、それを自分でじっくりと考える時間も必要なので、最低一週間くらい間を空けるといいと思います。

参加者の年齢層も様々で、子どもから大人まで幅広い層が一堂に会して対話するところが特徴です。男女いずれかの性別に偏っているということもありません。職業も様々ですが、自由に発言するために、あえて属性を明らかにしないことが多いように思います。場合によっては名札をつくって、ニックネームで呼び合ったりします。名前すら名乗らないで、まさにどこの誰ともわからない人々と対話する場合もあります。

決まった人数はありませんが、あまり人数が多いと全員が発言する機会を確保するのが困難になり、うまく対話できなくなります。だからといって、あまり人数が少なくても、発言の多様性が失われ、面白味がなくなることがあります。六人〜一五人くらいが適正なサイズだと思われます。多くても三〇人にとどめておくほうがよいでしょう。

5 進め方

対話のファシリテーター（進行役）がいて、対話の交通整理などをしながら進めるのが通常ですが、いったん対話が始まると進行役も一参加者となるケースや、とくに進行役がいないケースもあります。一時間から二時間、長くても三時間くらいかけて、一つのテーマや問いを掘り下げていきます。哲学では、深く考えることが求められるからです。

対話の進め方もさまざまで、最初から最後までファシリテーターが投げかける問いに答えていくパターンや、最初はテーマに関する講義を聴いて、それについてみんなで対話するパターン、あるいは小グループに分かれて議論した後に全体で議論するようなパターンなどがあります。三〜四人程度の小グループでの対話の場合は、誰かが対話を取り仕切らずともおのずと対話が深まっていくことが多いので、あえてファシリテーターを定めないこともあります。

ファシリテーターは発言を強制したり、誘導したりしないように注意する必要があります。哲学カフェは、人の話を聴いて、あくまで自発的に思考を言語化するための場です。

6 ルール

決まったルールはありませんが、どのカフェでも他者の発言をきちんと聴くための工夫がなされています。たとえば、何か目印になるもの、たとえば、コミュニティボールやぬいぐるみなどを回すことで、それを持っている人だけが発言できるようにするといったように。同時に複数の人が話すような状態は避けなければなりません。コミュニティボールとは、毛糸などで作られた柔らかいボールで、それをもっている人が発言をして、他の人は聞く側に回ることを示します。ボールを渡された人が次の発言者となります。

実践者の中には、次の三つのルールを設定し、最初に周知するようにしている人もいます。①難しい言葉を使わない、②人の話をさえぎらない、③全否定をしない、というものです。

①が必要な理由は、難しい言葉を使うと、ついていけない人が出てくるので、みんなで考える意味がなくなってしまうからです。また、難しい言葉で煙に巻こうとしたり、圧倒したりする態度を防ぐこともできます。

②については、哲学カフェの場合、人の話をよく聴いて自分が考えることこそが大事なので、徹底する必要があります。自分の言いたいことだけを主張する演説の場ではないからです。ただ、限られた時間ですから、話し手の方も要領よく話すことが求められます。長い場合はファシリテーターがいったん止めてまとめるようにするといいでしょう。

③が必要な理由は、「あなたは全然わかってない」とか「まったく違う」とか「あなたには理解できない」などと言われると、もうそれ以上対話を続けることができなくなるからです。

人格を否定するような発言は論外ですが、そもそも全然わかっていないなどということはないはずです。あなたと私はどこが違うという具体的な指摘をすることではじめて、建設的な議論ができることを最初に周知しておく必要があります。

これは具体的なルールの一例ですが、多くの哲学カフェで類似のルールが設定されていります。①を「自分の言葉で話す」、②を「よく聴く」、③を「考えが変わっていくことを楽しむ」などと表現することもあります。また、他に「〈人それぞれ〉とはいわない」「黙っていてもよい」などのルールを付け加えることもあります。

ただ、哲学カフェの経験が豊富な人の中には、あまりルールにこだわらない人も出てきました。ルールにこだわり過ぎると、ファシリテーターの特権的な役割を強化しすぎる感じがするからです。

7 哲学の素養の必要性

専門的な話をするわけではないので、基本的に哲学の素養は不要です。ただ、ファシリテーターは多少哲学の知識があると進行しやすいかもしれません。本書の第4章くらいの知識があれば十分でしょう。もちろん参加者の中には哲学に詳しい人もいますが、そうした人が知識を披露したり、他の参加者を圧倒したりするような状態にならないよう、ファシリテーターはつねに配慮する必要があります。

8 テーマ

哲学のいいところは、なんでもテーマにできる点です。身近なものごとをめぐって生じたふとした問いでも、人生を送るうえで切実に感じられる問いでも、どのような疑問でもテーマにすることができます。また、社会状況に合わせたタイムリーなテーマが選ばれることもよくあります。何であれ、みんなが「なぜだろう」と疑問に思っていることを考えることのできる場を提供するのが、哲学カフェの第一の意義です。

テーマは、できるかぎり「〜とは何だろう」「〜はなぜだろう」といった問いの形で設定したほうがよいでしょう。「〜か、〜か」といった二者択一の問いかけでも構いません。そうした問いかけの形のほうが、参加者それぞれがテーマをめぐって思考を働かせるきっかけになるからです。

テーマは予め主催者のほうで設定してから告知することもあれば、当日参加者自身が決めることもあります。前者であれば、テーマに興味のある人々が集まりやすくなるでしょうし、後者であれば、何であれ哲学的に考えることに興味のある人、あるいは日ごろ気になっている自分の問いをみんなで考えてみたい人々が集まりやすくなるでしょう。

テーマは基本的にどのような問いを設定してもかまいませんが、対話を進めるなかで、テーマの内容がさらに限定されて深められたり、テーマの前提自体があらためて問い直されたりする場合も少なくありません。テーマから外れてしまうのは望ましくありませんが、こうした深まりや問い直しは、対話にとってはむしろ望ましいことです。その意味で、主催者としては、テーマはあくまで問いの入り口である、といった心づもりで臨むとよいでしょう。

当日参加者からテーマを募る場合は、参加者から取り上げたいテーマとその理由を簡潔にいくつか挙げてもらったうえで、ファシリテーターがそれぞれのテーマの関連性を参加者と一緒に確認しながら決めていきます。必ずしもすべてのテーマに関連性をつける必要はありませんし、テーマ同士の関連性を考えていくなかで、さらに包括的なテーマが出てくる場合もあれば、より掘り下げたテーマが出てくる場合もあります。いずれにしても、参加者の同意を確認しながら決めてゆくことが大切です。ただし、その後の対話の時間を確保するために、テーマ設定にはあまり時間をかけすぎないようにしたほうがよいでしょう。

映画・小説・哲学書・絵画などの素材を用いて進める場合も多くあります。その場合には、テーマは作品自体になります。また、花見をしてから対話する、散策をしてから対話する、食事を作りながら話し合う、何らかの役割を演じながら話し合うなど、体験的なものを組み合わせて開催することもできます。

たとえば、「子育て」というテーマで哲学カフェを行うことを告知して、あらかじめ参加人数を区切っておきます。参加者が集まったところで、本日参加してくれた動機や簡単な自己紹介をしてもらいます。参加者は性別も年齢もさまざまですが、子育てに関心を持っていることは共通しているので、みんなで話し合うテーマや問いを出してもらい、なるべく多くの人が話したいと思えるような問いをいくつか決めていきます。最初は具体的な子どもとの接し方や学校での問題が議論されますが、話が深まるにつれて、教育とはなにか、子どもとは親にとってどういう存在なのか、逆に子どもにとって親とは何者なのか、学校の役割とはなにかといった問題へと展開していきます。具体的な経験と行き来しながら、そうした一般的で根源的な問いについてみんなで考えをさらに深めていきます。自分の具体的な悩みや困りごとに直接回答が得られるわけではないですが、考え方の幅が広がり、いろいろなヒントが得られて、自分でこれまでとは違った角度で子育てに向かい合うことができるようになるのです。

9 参加の心構えとマナー

参加者は哲学カフェが〝考える場〟であることを意識し、自分の主張を人に押し付けないように注意しなければなりません。また、他の人々の話に耳を傾ける姿勢も重要です。議論になるととかく白熱しがちですが、感情的にならずに思考し続けることをつねに意識するようにしましょう。

10 哲学カフェのメリット

メリットはたくさんあります。たとえば、自分の考えを深めることができる、自分の意見を人前で言語化してまとめる訓練になる、他者の考えを知ることができる、思考の訓練になる、集合知が生み出せる、人生を見直す場になる、といったところでしょうか。最後の人生を見直す場という点については、哲学カフェでは、実際にカフェでの議論に触発されて、転職したり、社会活動を始めたり、政治家になったりした人がいます。また、単純に考えるのが好きな人同士が集まる場として、仲間づくりにも役立っているようです。

以下に哲学カフェの楽しみを列挙してみます。

11 哲学カフェの楽しみ

・これまで会ったこともない、見も知らぬ人と真剣に話すことができる。
・これまで考えたこともない意見と出会うことができる。
・社会がどうなっているのかを垣間見ることができる。
・愛といった抽象的な物事と、日常の生活とのつながりを見つけることができる。

・ラーメンを食べる幸せから、幸せ一般の意味にたどり着けることがある。
・何を学んだのかもオープンに考えることができるので、とても自由な感じがする。
・ふだん職場や家庭で話せないこと、聴いてもらえないことを、話し、聞くことができる。
・映画・小説・絵画・哲学書の多様な理解を知ることができる。
・ものごとが一つの角度からではなく、さまざまな角度から考えられることがわかる。
・それぞれの意見にそれぞれの理由があることがわかる。
・さまざまな意見の違いを踏まえて、じぶん自身の考えをあらためて考え直すことができる。
・それぞれの地位や専門領域から離れて、一人の人として話し、聴き、考えることができる。

12 課題

多くのメリットがある哲学カフェですが、それでもまだ、つい自分の意見を押し付けようとする場になりがちな点が問題です。また、公共の場での対話であることから、偏った考えを持った人や、冷静に対話のできない人が参加することもあります。そうした人たちにどのように対応すべきか、それ自体が哲学すべきテーマなのかもしれません。

2 教育する
子どもの哲学、企業研修

1 小・中・高等学校における哲学プラクティス

学校教育段階における「哲学」と聞くと、高等学校公民科「倫理」でしか触れることがないのではないか、と思われる方が多いかもしれません。または、「倫理」の授業で取り上げられているような過去の思想家について学ぶことは、実は、単に過去の思想の理解や記憶すること以上の意味はなく、本当の意味で考える学問としての哲学は日本の学校教育において学ぶ機会はない、という方もいるかもしれません。

しかし、近年の学校教育改革の文脈の中では、知識として哲学史や哲学の学説を覚えることよりも、哲学的に考えることとしての「哲学すること」に注目が集まるようになりました。哲学対話は重要な意味で「哲学すること」の一環であり、小・中・高等学校の教室で実践がなされるようになってきています。

教育現場の哲学プラクティスに大きな影響をもたらしているのは、リップマンの「子どものための哲学（Philosophy for Children=P4C）」を起源とする実践です。教育現場における哲学プラクティスは、「子ども哲学」や「p4c」「哲学対話」など、さまざまな呼ばれ方をしています。

ここでは、なぜ日本の学校教育において哲学対話に注目が集まるのか、その背景を説明します。そのうえで、実際の学校現場ではどのような実践が行われているのか、児童生徒はどのように捉えているのか、実例をもとに紹介します。

（1）日本の学校教育において哲学プラクティスに注目が集まる背景

哲学対話では、児童生徒一人ひとりが、日常生活のなかで抱く疑問をもとにして、他者との対話を通して考えを深めていくことが大切にされています。このような哲学対話の方法は、ある時には、教育目標として掲げられる規範をも覆す可能性があるため、一見すると、教師が児童生徒に教えるという構造をいまだに有している日本の学校文化にはなじまないような気もします。

しかし、近年、小・中・高等学校の教室でも、哲学対話という方法が用いられるようになってきました。この背景には、大きく分けて三つの流れがあります。一つ目は、文部科学省が約一〇年ごとに改訂を行う学習指導要領の動向。二つ目は、高等学校公民科「倫理」をめぐる問題点。三つ目は、「特別の教科　道徳」の設置に際した学習内容をめぐる問題です。それぞれみていきましょう。

まず、学習指導要領改訂の動向についてです。日本の学校教育の方針はおおざっぱに分けて、各教科の専門性に従って系統的に配置された学習内容を順番に学んでいくことを重視する系統主義的な教育観と、児童生徒の関心に応じた自主的な学びを主軸に据える経験主義的な教育観の間を行ったり来たりしています。

系統主義的な教育観が行き過ぎると、学校現場では、教師から児童生徒へ一方的な詰め込み式の教育が行われるようになったり、児童生徒の実態に目が向けられなくなったりします。一方で、経験主義的な教育観に偏れば、活動あって学びなし、はい回る経験主義などというように、児童生徒は楽しそうに活動していますが、学習と結びついていないのではないか、というような批判を受けるようにもなるわけです。もちろん、両者の教育観ともに重要な点があるため、このバランスを取ることが大切になってきます。今回、平成二〇年度版学習指導要領から改訂された平成二九・三〇年度版学習指導要領では「主体的・対話的で深い学び」がスローガンとして掲げられています。これは、学問的な背景をもとにした各教科ならではの「見方・考え方」を生かし、児童生徒の主体性に即して、他者と共に考えることで深い学びへとつながるような授業を進めようとするものです。また、平成二〇年度版学習指導要領に引き続き、平成二九・三〇年度版学習指導要領でも、主体的に学習に取り組む態度を養うため言語活動を充実させることが求められています。哲学対話が、言語活動の充実に寄与することは明らかです。このように、児童生徒の主体性を重んじ、対話を通して、深い学びの実現を目指そうとする教育方針の転換は、教室で哲学対話が推進される一つの背景になっています。

次に、高等学校公民科「倫理」における先哲の思想の取り扱いをめぐる問題です。公民科「倫理」の教科書を見てもわかる通り、数多くの思想家が紹介され、知識が網羅的に扱われています。そのため、授業においても、単に思想家や思想についての知識を習得する科目であるという誤った認識がなされ、展開されているという問題点がありました。このことは、国際的にみても、日本の哲学教育は考える力を育成することにつながっていないとされ、ユネスコからも批判を受けている点でした。そこで二〇一五年に日本学術会議哲学委員会の哲学・倫理・宗教教育分科会は「未来を見すえた高校公民科倫理教育の創生―〈考える「倫理」〉の実現に向けて―」という提言を打ち出し、問題の解決策として哲学対話と原典の一節の批判的読解を据え、哲学を学ぶことから哲学することへの転換が推奨されています。

また、平成三〇年度版高等学校学習指導要領では、公民科「倫理」に「哲学に関わる対話的な手法」の導入が示されました。先哲の原典の口語訳などを読みながら自分の考えを広げるだけなく、先哲を含む他者との対話を通して、思索を深めていくことが念頭に置かれています。

これらの改革案からも、対話を通して経験や考えを振り返ったり、問いそのものを吟味したりする哲学対話の実践が、日本の教室でも少しずつ活かされようとしていることがわかります。

三つ目の背景として、「特別の教科　道徳」の学習内容をめぐる問題があります。これまで小・中学校に設置されていた「道徳の時間」には、既存の価値観を教え込むことを意図していないとしても、多角的・批判的に考えることのできる児童生徒の育成にはつながっていないという課題がありました。これは、これまでの「道徳の時間」が「読み物道徳」と批判されてきたことからもわかります。しかし、「特別の教科　道徳」では、「考え、議論する道徳」が目指されていることからもわかるように、既存の価値観や善悪の基準を、他者との対話や議論を通して改めて問い直すことが重要であるという方向性が示され、一つの実践例として哲学対話が取り入れられているのです。もちろん「道徳」の教科化をめぐる問題はたくさんあり、今後議論がなされる必要があります。しかし、学習内容の一つの提案として、哲学対話を応用しようという動きがあり、すでにいくつかの学校では一年を通して実践がなされています。

これ以外にも、哲学プラクティスが求められる学校の活動はいろいろあります。たとえば、小・中学校では「総合的な学習の時間」、高等学校では「総合的な探究の時間」が設置され、児童生徒が自発的に、複数の分野を総合し横断する学習が目指されています。哲学はもともと超領域的な学問であり、各教科・科目における学びを、総合的・統合的に働かせる必要のある学問です。そのため、「総合的な学習の時間」や「総合的な探究の時間」の授業でも哲学プラクティスを取り入れる動きが強まっているのです。

また、国語や社会、理科などの教科ではもちろん、体育や美術、生活なども対話を用いた学習が適した分野です。たとえば、美術の時間に対話型鑑賞を導入することが定着し始めているのもその一例です。対話型鑑賞は、哲学プラクティスとは独立に発展してきた実践ですが、その方法ややり方は哲学プラクティスと多くの共通点があります。また、ホームルームやクラブ活動などの課外活動で、身近に生じた具体的な問題について哲学対話の方法で話し合いをし、その問題解決の糸口を探る教師も増えています。

ここまで紹介してきた流れは、学校での哲学対話を支える背景となっていますが、実際は、それぞれの教師の工夫によるところも多く、哲学対話はいろいろな場面で実践されています。

(2) 教室における哲学プラクティスの実践

では、実際の教室ではどのような哲学プラクティスの実践が行われているのでしょうか。ここでは、高等学校での実践例を紹介します。

高等学校においては「倫理」や「総合的な学習の時間」の一時間を使って行われることが多く、半年や一年間を通して実践がなされているという学校はまだ多くはありません。そこで、授業の一単位時間の中で哲学対話を行おうと考えたときの授業の流れを紹介します。

まず、最初の五分ほどで哲学対話について説明をします。基本的には、「発言している人の話を最後まで聴くこと」「わからなくても問題ないこと」「意見よりも質問をすることで考えが深まること」などを確認します。

次に、自らの経験や日常生活を振り返るなかで、みんなで考えてみたい問いを出し合います。問いを共有する際には、生徒の問いをそれぞれ黒板に書いたり、小さな紙に問いを書いてもらい、集める、などという方法があります。児童生徒から出される問いは本当にさまざまです。「正義とはなにか」「なぜ人は媚びるのか」「なぜ人は死を恐れるのか」「なぜ宿題をやらないといけないのか」「なぜ〝かわいい〟の基準は時代によって違うのか」など。場合によっては、教師があらかじめ設定したテーマで対話を行うこともありますが、問いが一通り出揃った段階で、みんなで考える問いを決めます。

問いの選出の方法についても議論がありますが、多数決で問いを決めることが多いようです。その理由としては、より多くの児童生徒が興味を示していることや、問いの選出よりも実際に対話を行い、考える時間を多く取った方が、思考力が深まるためなどがあげられます。複数の問いを一つにまとめて、より多くの児童生徒が関心をもてる問いにしていく方法もあります。一見、授業で取り上げるにはふさわしくないと思われる問いが選ばれたとしても、その場にいる児童生徒が出した問いであれば、その理由も含め、対話を通して考えを深めていきます。問いが決まったら、残った時間で哲学対話を行います。これは小・中学校でも同じです。

たとえば、小学校で実際に出された「なぜ、〝うんこ〟というとみんな笑うのか」という問いは、一見するとふざけた問いに思うかもしれません。しかし、年齢の低い子どもはこの言葉を言っても笑わず、また、ある年齢を過ぎるとやはり笑わなくなります。「うんこ」という言葉で笑うのは、公的なものと私的なもの、自己と他者、開示してよいものと私的に留めるべきものの線引の問題に敏感になる年齢の子どもたちだけなのです。実際にこの問いで話し合いを始めれば、すぐに、「大小便では笑うけど、嘔吐ではなぜ笑わないのか」「汗とつばは汚いだけで、恥ずかしくない」「なぜ、恥ずかしいのか」「恥ずかしいとは何か」「家族では笑わない」などの意見やさらなる問いが次々に出てきます。これらをさらに議論していけば、自分の身体や身体の排泄物のなかで恥ずかしいとされるものとそうではないものの区別が明らかになっていきます。そして、どうしてそうした区別がされるのか、どういう場合や場所でそれが恥ずかしく、おかしいのかなどがさらに議論され、自己と他者、公私の別という哲学的なテーマが顕になります。一見すると教育の場にふさわしくないように思われるテーマでも、少し掘り下げるだけでたちまち哲学の問いになっていくのです。具体的な対話の進め方や注意点などは、「第2章5節 対話のオーガナイズの仕方」を参照してください。

また、学校で行う哲学対話の場合、いかに哲学対話を評価するのかという、評価の問題が議論されることがあります。外在的な評価（たとえば、開放性や応答性、利他性など）の基準を設け、それをもとに哲学対話を評価することがよりよい議論へとつながると考える意見がある一方で、哲学対話の評価は外在的な主軸では評価することができないため、参加している児童生徒一人ひとりが今日の対話はどうであったのかを評価して、対話を改善していく方がよいという考え方もあります。

（３）教室における哲学プラクティスに対する反応

では、生徒自身は哲学プラクティスの営みをどのように捉えているのでしょうか。哲学対話を行う前と後とでの哲学の印象について、事前のアンケートでは「ややこしい」「難しそう」「堅苦しい」「眠くなりそう」「過去の思想家について」などという回答が多いのですが、事後のアンケートでは「つまらないというイメージから少し面白いに変わった」「人の考えを暗記するタイプでしたが、受け入れて思考してみるのも面白いと感じた」「考え、考え、考え、また考えることで、何かを切り開くもの」「日常に存在することだと気付いた」などの回答が多くなります。もちろん、ポジティブな意見だけでなく「堅苦しい」「よくわからない」という回答もあります。

以上のように、哲学プラクティスを学校教育に根付かせるためには課題も多いのですが、児童生徒の反応からは、自ら考えるという姿勢や対話を通して考えることの楽しさの開拓に哲学プラクティスの営みは貢献できることがわかります。

2　大学教育

大学では、哲学プラクティスの要素を、授業の一環として取り入れることは初等中等教育の場合よりも難しくありません。大学では文系理系を問わずに、中等教育よりもアクティブに学ぶことが求められますし、講義やセミナーのなかでディスカッションやディベートを行う場合も多いでしょう。そこに、P4C的な方法、すなわち、問いを出発点とし、対話を通じて探究する学びの方法を取り入れることは十分に可能です。専門課程の講義やセミナーで導入できることはもちろん、アカデミックスキルを教えるような導入教育の授業や、英語のような語学の授業でさえも例外ではありません。

ゼミなどでの発表の授業でも、プレゼンに時間をかけて、質疑応答には数分しかかけない場合が見受けられます。ですが逆に、発表の時間を短くしても、議論に時間を十分にかけるならば内容がより深まっていきます。発表について哲学的な質疑が行われると、それまで見えなかった大きな理論的な枠組みが見えてきますし、広い文脈で自分の調査を捉えることができるようになります。

以下では、大学での教育で、どのように哲学対話が導入されているか、またその目的と意義はどこにあるのか、いくつかの実例をあげて紹介していきたいと思います。

（1）一般教養としての哲学

「哲学」の授業はしばしば一般教養の授業として行われます。たとえば、看護学科の一年生を対象にした授業であれば、看護という専門に関連すると同時に、一般的に学んでおいてほしい、あるいは、考えておいてほしい哲学的なテーマを扱うべきでしょう。

そこで、そうした授業では、全体の時間の半分を講義にあて、もう半分を哲学対話にあてることができます。一回の授業につき一つのテーマ（たとえば「他者」「死」「気づかい」「私」など）を取り上げ、哲学史に残る考え方や議論について講義し、哲学対話をしてもらいます。

授業の内容と構成は、取り上げるテーマと学生たちの関心を考慮しながら、そのつど組み立てていきます。先に講義をする回もあれば、先に哲学対話をする回もあってよいでしょう。いずれにしても、もっとも重視すべきことは、授業内容を学生自身にとっての現実につなげて考えてもらうことです。

では、そうした授業のなかに哲学対話を取り入れる意義とは何でしょうか。

一つには、自分の考えを、人に伝えて理解してもらう体験をしてほしいからです。自分の考えを言語化し、自覚することは、自分自身にとっても素晴らしいことです。そこでさらに、人にも伝わる言葉が見つかれば、人と一緒に考えることができるようになります。

もう一つの理由は、対話により他者を理解することに関わります。不思議なもので、最初は自分には無関係にみえる問題でも、対話のなかで話を聴いているうちに、自分なりに相手の世界との接点、そこへの入口が見つかるときがあります。それは、どうしても自分でも何かを考えたくなる瞬間、どうしても何かを言いたくなる瞬間として訪れます。どんな問題でも、どこかで自分自身の現実と結びついているということを体感してほしいものです。普遍性や他者理解も、こうした体感に基づくべきです。

現実を生きていると、さまざまな問いが生まれます。そんなとき、問いを言葉にし、探求的に考える。また、それについて人と話し、協力して探究する。一般教養として哲学を学ぶと、そういうことができるようになる。そしてそれは楽しいことで生きる糧にもなる。それがまたあなたの生きている現実の一つの側面になっていく、学生たちにこのことを伝えられるとよいでしょう。

(2) 演習（セミナー）への導入

大学では、セミナー（演習）形式の授業がありますが、その多くは少人数で行われます。セミナーでは学生による発表やディスカッションが重要な部分を占めますが、ここでも哲学対話の方法を導入することが可能です。以下に文献講読型と研究発表型でのやり方をご紹介します。

重要な文献を講読するタイプのセミナーでは、担当者が文献のレジュメを作成して発表するという形式をとることが多いでしょう。しかしそのやり方では、どうしても話し合いの時間が減り、自分の考えを発展させることよりも文献の理解の方に軸足が置かれてしまいます。最終的に自分の考えでレポートを作成してもらうことが目的ならば、話し合いを中心にして、アイデアを検討し合う方が発想も豊かになります。

毎回の準備として、こちらで指定した文献を読んできてもらいます。ただ、特定の担当者は決めず、学生たち各自が、文献を読みながら抱いた疑問を少なくとも一つ、ノートに書いてきます。その疑問を、演習開始時に黒板に書いてもらい、そこからさっそくディスカッションを始めます。学生たちの関心の高い疑問から順に取り上げ、進めていきます。必要であれば、みんなで文献の関連箇所をめくり、文献解釈について話し合います。文献全体を読解することも大切ではありますが、P4C を応用したこの方法では、自分の問題意識に即して文献にあたり考えることに重点を置きます。

また、学生による研究発表を中心としたセミナーでも、車座になって、P4C の対話形式を用いる方がよい場合が多々あります。とりわけ、学生が研究に着手したばかりの段階では、まだ問題意識を明確に自覚できていない、あるいは、まだうまく問題を絞り込めていないことがあります。こうした段階で、発表に基づく質疑応答をしても、発表者はうまく応答できず、ディスカッションが不活発のままで終わってしまうことがよくあります。そうした段階では、P4C のような手法でもっと自由に対話をすることが有効です。

哲学対話では、発表者がどんどん質問を投げかけることができます。また、発表者が何を言いたいのか、質問に対して発表者ならばどう答えるべきかについて、全員で示唆を与え合うこともできます。発表者は自分が本来、探求したいことからずれた研究をしていたり、目的が漠然としすぎたりしていることがあります。対話は、発表者の問題を掘り下げて、焦点を明確にしていくことができます。

哲学対話では、発表内容の細部にあまりこだわらずに、根本的な問題を探求することが可能です。学生が研究を進めるうちに行きづまってしまい、自分の問題を新たに捉え直したいと考えているような場合でも、哲学対話は役立ちます。

（3）英語教育への応用

最後に英語教育への P4C 導入の事例について紹介します。語学はときに学部学科を超えた編成のクラスになり、教師が専門ではない分野の学生に教えることもしばしばです。たとえば、教師が文系で、理学系の学生に自然科学英語を教えるということもあるでしょう。そうした場合には、教師は英語を教え、自然科学の専門知識については学生や院生に教えてもらうというかたちをとり、いわば共同作業で授業を進めることができます。

自然科学の分野の教材として、テキストブック・英語論文・新聞記事・映像などを使い、さまざまな対話的アクティビティを行います。このとき一番重視すべきは、わからない点に自分で気づくということです。英語がわからない点でも、内容的にわからない点でも、とにかく疑問点を自覚して、それを英語で表現してもらいます。

疑問点を英語で書いてもらったら、それをもとにグループディスカッションを行います。英語で話し合うのが難しそうであれば、「サイレント・ダイアローグ」（第2章6節4参照）が非常に有効です。ワークシートに英語で問いを書いたら、それを誰かと交換して、お互いの考えを英語で書き合い、さらに別の人とワークシートを交換することをくり返していきます。この方法なら、じっくり時間をかけて、自分の考えを英語で表現することができます。全員が参加できるというメリットもあります。

英語教育における英作文というと、あらかじめ用意された日本語を英訳するという作業が、広く行われてきました。しかし、このやり方では、自分の考えを英語で表現する練習にはなりません。対話を通じて自分の考えを英語で表現しておけば、使った英語表現は将来そのまま使える可能性が高いですし、何よりも英語で考える訓練になります。

こうした実践でも、哲学的な要素を入れる意義があります。多様な専門の人たちが会する場では、哲学は素朴で根本的な問いによって人々を結びつけます。たとえば、教材が分子生物学の分野のものであれば、「そもそも生き物はなぜ細胞からできているのか」「生物と化学の境界はどこにあるのか」といった哲学的な問いを立てられるでしょう。哲学的なテーマは、多様な学科の人たちが一緒になり、それぞれの専門知識を活かしながら、領域横断的なディスカッションを行うのに適しているのです。

3　企業──職員研修、企業内での哲学対話など

(1) 目的

哲学プラクティスの実践家には、企業や公的組織から哲学対話を実施してほしいとか、ファシリテーションの指導をしてほしいという要望が来ることがしばしばです。これは、組織コンサルテーションとして、哲学プラクティスの活動の重要な一部をなしています。なぜ、企業では哲学対話が必要とされるのでしょうか。大きく分けて二つの場合があります。

一つは教育的な目的のためです。現在の企業活動では創造性・生産性を高めるために個々人

の思考力の向上、および組織としてのコミュニケーション力の発展が要請されます。そうした教育的な研修の一環として哲学対話が導入されることがあります。哲学対話は、思考力とコミュニケーション力の向上に資するからです。あるいは、組織の中で自分をどのように活かしていけばよいのか、ワーク・ライフ・バランスをどのように取ればよいのか、自分の人生の中でこの組織での仕事をどう位置づけるのか、部下や上司、同僚などの人間関係をどのように形成していけばよいのか、こうした組織の仕事と自分の人生のあり方を見つめ直すワークショップや社内研修でも哲学対話が求められます。企業内教育を専門的に担当している組織や会社から、こうした研修やワークショップを委託されることもあります。

二つ目は、組織内での深い対話の場を設けるためです。企業には上下関係があり、本当は必要であってもフラットな立場での話し合いがしにくいものです。また、普段から会議の場を設けていても、急いで成果を出さなければならない議題やテーマが多く、しっかりと向き合わなければならない根本的な問題を置き去りにしていることが多いものです。たとえば、自社が拠って立つべき基本的な理念、製品やサービスの根本的な価値、長いスパンでの未来像、消費者やステイクホルダーとの良好な関係の作り方、社会貢献、国際化と文化摩擦、企業倫理やコンプライアンス、安全性や信頼性などは、普段の多忙な業務ではなかなか議論できないとはいえ、ないがしろにすることが決してできないテーマです。これらについて哲学対話を導入して議論し、相互に考えを共有しておきたいという要望があります。また、哲学対話では、普段の業務での付き合いからはうかがい知れなかった上司部下同僚の考えを知ることができます。社員の相互理解に資するのです。

(2) 意義

哲学対話を企業や組織で行うと次のような効果が生じます。

哲学対話では、立場や年齢を超えて、素直に話し合える場を作ることができます。ファシリテーションの仕方を身につけると、さまざまな人の多様な意見を聞き出せるようになります。組織内にフラットで活発な話し合いの文化を作り出すことができるでしょう。

個人としてはP4Cと同じような効果を得ることができます。すなわち、創造的に思考すること、批判的に思考すること、ケアをしながら思考することができるようになり、また、辛抱強く相手の考えを聞き取る態度が身につき、相互に深い理解を得ることができるようになります。

哲学対話は、普段の行動や考え方を深い次元で検討し、吟味する機会を与えてくれます。普段の前提から離れた問題も含めて話し合うことで、普段なら出てこないような発想を共有することができ、前提の齟齬や相互の誤解を取り除き、基本的なビジョンを確認しあうことができます。

（3）テーマ

話し合いの文化を作る、思考力やコミュニケーション力を伸ばすという教育的な目的であれば、仕事の話を離れて、一般的な哲学的なテーマで話し合いをすることもよいでしょう。哲学カフェや子どもの哲学で論じられている一般的なテーマや問いを提示したり、あるいは、その場で話し合いたいテーマを参加者に出してもらったりするのもいいでしょう。「根っこワーク」（第2章6節6参照）をして、自分自身の問いを互いに対話をしながら深めていくようなワークショップもよいでしょう。

企業内で深い話し合いの場を持ちたいのであれば、企業人として話し合いたいテーマを設定します。具体的な仕事内容からは距離を取って、「リーダーとは何か」「自分にとって働くとは何か」「何がよい製品か」「優れた企業とは何か」「今後の社会で求められるもの」など大きなテーマで話し合ってもよいですし、逆に、具体的な問題や課題を取り上げつつ、それをより根本的なテーマへと深めていくやり方もいいでしょう。

ある企業の研修で、若手の管理職を対象に「どうして人は傲慢になるのか」というテーマで哲学対話をしたことがあります。私たちはときどき上司に対して「この人は傲慢だ」と感じるときがありますが、どうして上司になると傲慢になってしまうのかという問いについて議論したのです。もちろん、この問いは、若い管理職が自分たちは傲慢でありたくないと思うから生まれた問いであり、リーダーシップはどうあるべきかという問いにつながっています。最初は、傲慢さを感じる時や状況、その人の態度や行動、性格を上げてもらうことからはじめます。逆に、傲慢さを感じない上司の例もあげてもらいます。そうした事例の共通項を取り出してみると、傲慢に思える上司の態度や行動は、実は単純に本人の性格から来る場合は少なく、部下の意見が聞き入れられていないといったコミュニケーション上の問題であることが分かってきます。そこまで分かってくると、上司を取り巻く環境や、上司部下との普段のコミュニケーションのあり方、意思決定の仕方といったさまざまな要因が、「傲慢さ」を生み出していることが徐々に明らかになっていきました。そして、そうした要因を排除するにはどうすればよいかというテーマに移っていったのです。

4 教育現場に哲学プラクティスを取り入れることで起こること

教育現場で哲学プラクティスを行うことによって、以下のようなことが起こると考えられます。

・教室や会社の内の力関係が、普段のあり方とは異なった形になる、もしくはフラットになることがある。

・普段考えないようなこと、学校で教わらないようなことについて、友だちや同僚、上司や部下と考えるきっかけになる。
・明確に確定している正解がすでに教師や上司側にあるわけではないので、間違ってもかまわないという心がまえが得られる。
・人とじっくり対話をするということ、人の話をきちんと聞くということの意義と難しさにきちんと向き合うことができる。
・言ったら軽蔑されるかもしれないとか、学校の場合は成績を悪くつけられてしまうかもしれないと思い込んでいることでも、すべて「問い」や「探究」として積極的に扱われる。
・参加者自身が自分自身の学びの責任を担うようになる。
・質問し合うということに対して自覚的になる。

3　地域の問題に深い解決をもたらす

1　地域における問題と課題についての従来の話し合い

哲学対話は、地域が抱えている問題に、通常の話し合いとは異なる深い解決をもたらすことができる方法となりえます。

ここで言う「地域」とは、例えば、都市の地域コミュニティや、農村など地方の比較的小規模のコミュニティのようなところです。互いに顔の見える関係であるか、〝地元〟という意識を緩やかであれ共有しているような場所です。その地域で起こることについて、住民は、直接間接的に関わっていることが多く、問題意識を共有しやすいといえます。

地域ではさまざまな問題や課題が生じます。「地域の開発を巡って対立が生じた」「観光客を増やしたい」「新たな地域ブランドを開発したい」「新しい産業を誘致する」「環境問題が深刻化した」「移住者を増やす」などがそうですし、あるいは、「地域の魅力を発見する」とか「過疎化を食い止める」といったこともあるでしょう。

これらの地域の問題や課題に取り組むさい、しばしば町内会長のような何らかの組織の長や、ＮＰＯや〝有志〟の人が主に関わることが多く、小さな自治体であれば、役所や役場の人も関わります。こうした核となる人がいるのは重要なことであり、彼らなしには何も動きません。

しかしその地域には、そもそも無関心な人、関心はあっても受け身な人など、行動を起こさない人がたくさんいます。そういう人たちは、話し合いや活動に参加しないか、したとしても「言う通りにしていればいい」「あの人たちに任せておこう」という態度をとりがちです。それはよく言えば、リーダーたちを〝信頼〟し〝協力的〟だとも言えますが、悪く言えば、〝無責任〟な態度にもなります。それでも、かつての村落のように、地元の人間関係が安定していれば、効率がよく確実な進め方なのかもしれません。

しかし今日、かなりの過疎地ですら、地域で起きることや行うことに、外部の人や移住者がいたりすることが多いのです。また市町村合併のせいで、自治体の人ですら、その地域には縁の薄い「よそ者」だったりします。こうした出自や立場を異にする人たちが関与する場合、今まで通りのやり方ではうまくいきません。

自治体も、政府や企業と結びつき、そのことが地域の人々と軋轢を生じることも少なくありません。核になる組織の長や有志の人も、以前よりもさまざまに異なる考え方をする人が出てきており、その人たちの目的や問題意識が明確なぶん、相互に対立もしやすいのです。特に利害が関係するような議論は、深い対立を生みがちです。

先に述べたように、地域にはさまざまな問題と課題があり、それらには明確である場合とそうでない場合があります。明確な場合とは、「観光客を増やす」「新たな地域ブランドを開発する」「移住者を増やす」といった場合です。他方、不明確な場合とは、「地域の魅力を発見する」とか「過疎化を食い止める」などがそうです。いずれの場合も、地域の一般的な話し合いでは、とくに予算が絡んだりしていると、年度内に具体的な成果を求められることが多くなります。しかも一部の人や組織の利害が絡み、あらかじめ結論の方向性が決まっていることもあります。

そうした問題解決のためにプロに頼んでワークショップを行うと、参加者が自由に話しているような形をとりながら、特定の方向（依頼した自治体や企業の意図に沿う方向）に誘導されることもあります。そうすれば確かに結論が出て、主催者も参加者も達成感があるのかもしれません。しかし「ワークショップ疲れ」という言葉があります。ワークショップのたびに結論を出しても、結局何も動かない。すると達成感を味わうこと自体に疲れてくるでしょう。そうなると、参加者は結論を出すことに信頼を置かなくなります。おそらくそれは、与えられた問題について、誰かの意向に沿うような答えを出しているからです。それぞれがいったん自分自身の立場から考えないと、その問題が自分と関係があるという実感がわかないのです。

2　哲学対話の効用

哲学対話は、こうした地域の問題や課題に対処するのに向いています。地域の問題は、そこで生活する人の多くに関わる問題です。住民同士は慣習、言葉、職業などでは同質性は高く、人間関係も固定されていることが多いでしょう。こうした地域の問題に取り組むにあたっては、子どもから高齢者まで、男性も女性も、異なる立場の人ができるだけ多く関わった方がよいはずです。哲学対話は、いろいろな立場の人が参加し、率直に、対等に話ができる機会であり、対話を通して問題を自分たちと関連づけて考えることができます。

そのさい、テーマとしては「町の改善をどうするか」のような直接的なものよりも、「住みたい町とは何か」「暮らしの中で大切にしているものは何か」など、前提を問うようなテーマで話し合うと、その後の流れがスムーズになります。

そうしてお互いの前提を共有しないまま結論へ急いでしまうと、かえって混乱します。その点、哲学対話は大きな可能性を秘めています。当初の問題・課題について話しているうちに、その前提となっていることを問うたり、その目的や帰結がさらにどんなことにつながっていくのか、言葉の定義や課題そのものの正否を考えたりするようになります。すると、もともと問題だと思っていたことが、実はそうではなく、より重要な問題・課題が他にあることが分かる場合もあります。

たとえば、ある漁業が盛んな町で、町おこしに関する哲学カフェを開催しました。まずどのような町にしたいかを問う以前に、この町はどういう町であるか、その特徴を考えようということになりました。多くの人が、ここが漁業で成り立っている町であると言い、皆が同意しました。しかし、「魚を取ることについても、海や海洋生物についても私は実はよく知らない」という意見が出ると、実際に漁師さん以外には、誰もあまり漁業のことに詳しくなく、ましてや自然については、身近すぎてかえって関心がないことが分かってきました。みんな、海と森や川を含んだ生態系となると全然意識していないという声があがりました。この状態で、町おこしをすれば、みんなが憧れている都会の真似になってしまい、特徴が活かされないどころか、良いところもなくなってしまうという議論になりました。そこから、それではこの町の良いところをどのように見つければいいのかという話に移っていったのです。

議論が誘導され、結論があらかじめ決まっているような話し合いには、私たちは関心をもつことができません。他方、哲学対話では、自分自身の経験から自分の言葉で考え、話し合いますので、具体的な成果が出るかどうかにかかわらず、その問題を自分事として考えられるようになります。そうすれば、地域の問題を他人事のように思ったり、人任せにしたりせずに、自分ができることが何かを考え、行動するようになります。哲学対話を通してそのような人が増えれば、具体的な成果を出そうとする時も、よりよい答えを見つけることができるはずです。

3 工夫・気を付けるべきこと

地域で哲学対話をするときには以下のような工夫と注意が必要です。

(1) 地元で活動する人や組織とつながる

対話のために一から場を作るよりも、初めからある場を利用し、いつもと違うスタイルの話し合いを企画してもらうのがいいでしょう。そのためには、地元のことがよく分かっていて、すでに活動している個人や団体（ＮＰＯなど）と連携する必要があります。そのような人は、その地域でキーパーソンとなる人が誰か、人を集めるにはどうすればいいか、どこで開催するといいかなど、哲学対話を行うために必要な条件を整えてくれます。

(2) 学校との関係

哲学対話の教育としての側面から言って、どの地域で行うにせよ、学校とどのように関わるのかはきわめて重要です。というのも、学校は、地域でいろんな人が利害を超えて集まれる数少ない場だからです。またどの地域も、持続可能であるためには、学校がなければなりません。学校がなくなれば、そこに子どものいる世帯が住まなくなり、いずれコミュニティとして維持できなくなるからです。

地方であっても学校そのものは都会の学校と変わらずに忙しく、地域とあまり関わっていないことが多いようです。しかし地域と学校教育を結びつけることは、そこのコミュニティにとっても、哲学対話にとっても重要です。学校で哲学対話を行い、そこに地元の人にも参加してもらうといいでしょう。それをきっかけに地域と学校がいろんな形で連携できるようになります。

（3）女性と子どもを入れる

地域（とくに地方の村）の問題を考えるさい、通常の話し合いでは、何かの役の付いた男性が中心になることが少なくありません。けれども、地域の問題は、そこに暮らす女性にとっての問題でもありますし、地域社会では女性のほうが広いネットワークをもち、重要な役割を果たすことが多いのです。だから、女性が集まりやすい場を作るといいでしょう。

また、子どもが来ることも重要です。地域の問題は、「大人の話」とか「子どもには分からない」「子どもには関係ない」と言って、子どもを話し合いに同席させないことが多いでしょう。そうして子どもは当事者でないかのように扱われます。しかし、地域の問題は、何であれ、子どもも当事者です。現時点でもそうですが、二〇年後には彼らが主人公になります。逆に現在大きな権限を持っている年配の人たちは、二〇年後にはこの世にいないか、一線を退いています。だから対話の場には、子どもも来させるべきなのです。

実際に対話で発言できるかどうかは問題ではありませんし、話を理解できているかどうかも重要ではありません。話し合いをする大人の態度が変わるのです。赤ちゃんであっても、その場にいることで、大人の話し合いは変わります。「大人の話」とは、利害の対立やお金が絡むこと、政治的な駆け引きなど、要するに、子どもには聞かせられない話ではないでしょうか。子どもがその場にいると、そういう話がしにくくなり、逆に利害得失やお金、人間関係を越えた次元の話ができるようになります。

子どもと女性が来やすい場にするためには、わざわざ話し合いの場を設けるより、集まったついでに話し合いをするようにしましょう。いちばんやりやすいのは、食べるイベントで行うことです。それぞれの家庭で作ったものを持ち寄るか、一緒に作るようにするといいでしょう。すると共同作業にも情報交換にもなり、それ自体が対話の雰囲気を作ってくれます。対話の後に食べてもいいし、食べた後に対話してもいいでしょう。

（４）ファシリテーションの工夫

哲学対話のルールで行うとしても、「哲学対話」という言葉を使う必要はありません。「今日はいつもと違うやり方で話し合いをしましょう」と言って、ルールを説明します。コミュニティボールは必須ではありませんが、それを使うことで、「いつもと違う話し合い」として演出できます。教育が目的ではありませんので、必ずしも議論を深めたり、哲学的にしたりする必要はありません。とにかくいろんな人たちが、みんな何でも話せるような雰囲気を作るのが重要です。

4 悩みに向き合う

哲学プラクティスのなかには、悩みや不安を抱える人に寄り添いながら、悩みに向き合い考えることを支援する、あるいはそのための主体性の回復を支援することを目的としたものもあります。悩みに向き合う対話といっても、具体的なアドバイスによる問題解決や、他者からの共感による自己受容を目指すわけではありません。哲学プラクティスで行うのは、あくまで思考のための支援です。対話を通して、悩みや不安を抱える人が自分自身で考える機会や体験を提供します。

こうした対話には、似たような悩みをもつ人たちが集まり、哲学カフェやP4Cスタイルで話し合うグループ対話と、哲学プラクティショナーと一対一で対話する哲学相談があります。

この節では、どのような悩みにどのような哲学プラクティスを通して向き合うことができるのか、いくつかの実践例を参照しながらみていきましょう。

1 子育て中の親のための哲学カフェ

子育て中の人が抱える悩みは、哲学的な問いに溢れています。「ママは怒っちゃいけないって本当か」「ゲームは必要か」など子どもへの接し方、「ママ友って必要か」「夫婦ってなにか」など子どもに関連した大人同士の付き合い、「親子とはなにか」「正直なのはよいことか」といった育児の奥にある普遍的な問い……。当たり前や常識の通じない赤ん坊や子どもを介して、親もまた正解が決まっていない問いの存在に気づかされるのです。

こうした子育て中の人が直面する問いについて考えるための哲学カフェが、育児サークルや、働く母親をサポートするNPO、あるいは男女共同参画を推進するプログラムの一つとして開かれることがあります。

育児サークルなどで通常行われる子育て相談では、それぞれの悩みに対して知識や経験に基づいた具体的なアドバイスが中心になります。たとえば、「気の合わないママ友とのつきあい、どうしよう」という悩みに対して、「子どものために我慢したほうがいいよ」「他の公園に行けば、もっと気の合う友達が見つかるかも」というように。一方、哲学カフェでは、「ママ友って必要なのか」「ママ友って本当に友達か」といったもう一歩踏み込んだ問いに焦点が当てられます。それらの問いは、悩みを直接解決してくれるわけではありません。しかし、悩みの元になっている思考や判断の枠組みを解きほぐしてくれます。

また、問題解決型の悩み相談では、情報や経験が多い先輩ママ・先輩パパが後輩ママ・後輩パパに教える一方になりがちですが、哲学カフェでは、子どもの年齢や育児経験の多少に関わらず双方向的な学びが可能になります。知識や情報ではなく誰のなかにもある思考を掘り起こすことによって、先輩ママ・先輩パパにも「そんな考え方もあったのか！」と気づきを得ることができます。

このような場をつくるために最も重要なことは、子育て中の人が参加しやすい環境づくりです。子どもたちが通園・通学中の平日午前中に開催する、小さなお子さんが同室で遊んでいるのを見ながら参加できるカーペット敷きの部屋を会場にする、土日開催の場合は託児サービス付きにするなど、開催日時や会場に配慮しましょう。

2　福祉施設での対話

精神障害や発達障害の人のための自立支援施設でも、プログラムの一つとして哲学カフェが開催されることがあります。

テーマは、「働き続けるのはなぜ難しいか」「正常ってなにか」など、利用者の悩みや困りごとに関するものが選ばれることもありますが、悩みとは関係ないテーマが選ばれることも少なくありません。悩みや困りごとを直接扱う問いより、純粋にいろんな疑問について自由に考えたり、みんなの意見を聞いたりすることを楽しみたい人もいます。ただ、障害とは直接関係ないテーマでも、話しているうちに障害に関することや、今後の生活や就職に関する課題が話題にあがることもあります。たとえば、「宗教を信じるのはなぜか」をテーマにした対話のなかで、「カリスマが他の人にはない感性を持っていることと、自分たちの幻聴や幻覚と、何が違うのか」という問いが出てきたことがありました。このように、いつも悩んでいる方向とは別の方向から自分自身の特性を見つめ直すことができるのも、問題解決とは異なる哲学対話の特徴でしょう。

こうした福祉施設での対話は、様々な特性をもつ人たちが、「そういう考え方もあるんだ！」と多様な捉え方の可能性に気づき、自分に合った生き方を主体的に選択・創造していく一助となるでしょう。また、参加を施設の利用者に限定すると安心して参加しやすいというメリットがありますが、哲学カフェを地域の人や施設の卒業生に開放している施設もあります。障害の有無や立場の違いを超えた対話が、施設と地域をつなぐ場となり、それぞれの特性を活かして助け合える地域づくりに役立つのではと期待されているからです。

ただし、発達障害や精神障害の人のなかには、集中力が高い一方で、それを維持するのが難しい人もいます。過度な疲労を避けるために時間を短めに設定したり、参加者の様子をみて話しやすいテーマを設定したりするなど、参加者の特性やコンディションに配慮しながら実施するようにしましょう。

3　同じ職種や領域で働く人同士の対話

さらに、学校教員を対象とした教員研修、病院の看護師研修、高齢者や障害者を支援する福祉職の人のための研修などを利用して、同じ職種や領域で働く人同士で哲学対話を行うこともあります。

「教育」や「ケア」のような仕事の根幹に関わるテーマについて話し合うこともあれば、「生活指導」「生徒の進路選択」「患者とのコミュニケーション」「スピリチュアルケア」など、そのとき職場で課題となっている事柄について、問いを出し合うこともあります。また、対象が学校教員の場合は、哲学教育（哲学プラクティス）を行う教員同士で、「自由な思考と教室内の秩序をどう両立するか」「哲学の授業の成績評価をどうするか」といった哲学教育の実践に関する悩みを持ち寄って対話することもあります。

通常の会議や事例検討会では、情報共有や、短期的な課題解決のための議論をするのが精一杯で、こうした課題以前の悩みや、解決策がすぐに見つからないような大きな課題、組織が慢性的に抱える課題にじっくり向き合うことは困難です。そこで、「そもそも、何のために成績評価をするのか」「そもそも、ケアとは何か」など、それぞれの職務の原点を皆で問い直すために、会議や事例検討会とは別に一定の時間を確保する必要があります。

具体的な方法としては、一～二時間で可能な哲学カフェやコミュニティボールを使ったP4Cスタイルで行われることが多いです。また、組織内のスタッフ間でミッションの意味をじっくり共有したい場合には、一～二日間かけてネオ・ソクラティック・ダイアローグが行われることもあります。

このような同じ職種の人とともに悩みに向き合う対話では、多様な価値観や論点を共有する、自身が仕事のなかで大切にしたいことにあらためて気づく、見落としていた生徒・患者・利用者の姿に気づく、同僚にも同様の迷いがあることを知って安心して取り組めるようになる、組織としての価値観を共有してその後の合意形成がしやすくなる、といった効果が期待できます。

4　一対一の哲学相談

これまで見てきたグループ対話とは別に、哲学プラクティショナーと一対一で対話する哲学相談も行われています。似たような悩みをもつ人たちが集まって話し合うグループ対話には、「こんなことで悩んだり考え込んだりしているのは自分だけでは」という孤独感を和らげる効果があるのに対し、一対一の哲学相談には、「転職すべきかどうか迷っている」「苦手な人がいる」「すぐ感情的になってしまう」など、人前で話すのが躊躇われる個人的な悩みにじっくり寄り添うことができるというメリットがあります。

寄せられる悩みは、仕事や家庭、人間関係、生き方に関するものなど様々です。「考え事をすると、堂々巡りになって疲れてしまう」「もう考えたくないと思うのに、つい考え過ぎてしまう」「いろんな考えが次々に浮かんできてまとまらない」「友達や親しい人が親切にアドバイスをくれるけれど、実は釈然としない」『『そんなこと考えたらダメ!』『そんなこと考えても意味ないでしょ』と言われたくない」など、自分自身で考えたいけれど一人では困難を感じている人に対して、哲学プラクティショナーが思考の伴奏者となり、クライアントが自分自身で悩みについて考えるのをサポートします。

具体的な進め方は個々の相談者(哲学プラクティショナー)によって異なりますが、大別すると以下の三つのスタイルに分類できるでしょう。

①問答型:プラクティショナーが質問を投げかけ、クライアントがそれに答える。プラクティショナーが自身の視点を提示したり結論に導いたりすることはない(「ソクラテス型アプローチ」と呼ばれることもあります)。

②パートナー型：クライエントの思考に寄り添いながらも、ときにプラクティショナーがクライエントと対等な知的探求者として自身の見解を提示し比較することで、クライエント自身の視点の発見を促す。
③教育的アプローチ：プラクティショナーがクライエントの悩みを考えるのに適した哲学者の思想や文献について情報の提供を行う。

哲学相談は、クライエントの不安や悩みに耳を傾け、それらの解消や自己変容を促すという点では心理療法と共通しますが、以下のような心理療法との相違点も挙げられます。

①クライエントを分析の対象ではなく、主体として扱う（教育的アプローチであっても、何が問題で何をすべきかは、あくまでクライエントが判断する）。
②プラクティショナーがクライエントに対して、「抑圧された感情」「認知のゆがみ」といった「正常／異常」の評価や、「死にたいなんて言っちゃダメ」といった倫理的な評価をしない。
③原因ではなく理由を掘り起こす（原因は第三者によって客観的な視点で探られるに対し、理由は本人が自分自身のなかを探ることによって掘り起こされる）。

5 対話のなかで起きていること

以上のような対話のなかで、人々は以下のような体験をし、それが悩みに向き合う力になると考えられます。

・個人的なものだと感じていた悩みを、一般的な問題として捉え直すことにより、自分の存在と問題を切り離し、距離を置いて考えることができる。
・他の人の意見や疑問を聞くことによって、異なる考えの存在や可能性に気づく。
・他の人の考えと比較することによって、自分の考えや価値観を別の視点から捉え直す。
・わからないことがあるということを、悪いことではなく、「ワクワクして楽しい」とポジティブに受け止めることができる。
・自分の言葉や疑問、考えを他の人に受け止めてもらえることで（共感や同意とは限らない。むしろ自分の発言に対する疑問や反論から「この人は私の考えをちゃんと聞いてくれている」と感じることも）、自己肯定感を持ち、主体的に物事を考えていく元気や勇気を得る。
・常識や外的な評価軸の正当性を疑い、主体的に考えた結果、悩んでいた事柄が気にすべき問題でなかったという結論に至ることもある。

6　注意点

ただし、悩みに話したり聞いたりすることによって、傷ついたり、強い疲労を感じることもあります。悩みに関連したテーマを扱う対話では、他の対話以上に、参加者やクライエントの心身の状態に配慮しながら、また参加者やクライエントにも自身の状態に配慮するよう促しながら、ゆっくり進めることが大切です。参加者が考えたいものの自分自身の体験を話しにくいと感じる事柄については、絵本や短い物語、詩などの題材を用意することによって、話しやすく、思考の助けとなることもあります。

また、同じ立場や同じ悩みをもつ人同士の対話は、育児歴、病歴、職歴などによって上下関係が生じやすいもの。知識や経験の差が発言力の差にならないよう注意しましょう。加えて、福祉施設の利用者とスタッフ、病院の患者と医療者など、被支援者と支援者が同席する場合は、支援者が観察者・分析者としてではなく、共同探求者として参加できるよう、テーマや進行に注意が必要です。上下関係による発言力の影響を避け、他者から評価を受ける場ではないと実感してもらうために、場合によっては、進行役が自身の悩みや体験を語ることも有効かもしれません。

参考文献

ピーター・B・ラービ著、加藤恒男訳（2006）『哲学カウンセリング：理論と実践』法政大学出版局

5 対話のオーガナイズの仕方

1 対話のオーガナイズの仕方

この節では、哲学プラクティスを実際に行うための手順や注意点等について、大きく街中で行う場合と学校において行う場合で分けて考えていきます。学校については、初等・中等教育段階の学校と大学での場合で分けて詳述していきます。

2 街中での対話のオーガナイズ

知的なエンターテイメント、社会教育、地域のネットワークづくり、社会的サポート、スタッフ研修など街中での哲学プラクティスはあり方が多様だからこそ、その趣旨や目的を確認しておくことが大切です。「このテーマについて色んな人の意見を聞いてみたい」場合はそのテーマに関心ある人が集まりやすい場所を、「地域の人が定期的に対話する場を」という場合は継続的に使える場所を探すことになります。

自主的な企画の場合、「誰と、どこで、どんなテーマで」といった問いかけを自身にしながら企画します。一方、依頼の場合はヒアリングが重要です。依頼者の意図を共有するのはもちろん、言葉にしきれていないニーズや課題はないかを質問しながら引き出していきましょう。注意すべきことは、依頼者の要望を鵜呑みにせず、目的と実践方法が合っているか吟味することです。

一つは、依頼者と参加者のニーズのズレです。たとえば、依頼者が提案するテーマが参加者にとって話しにくいと予想される場合、両者の関心が交わるテーマを探しましょう。

もう一つは、趣旨や目的が哲学プラクティスの手法や特徴と合っているか。哲学カフェの依頼でも、研修や特定のメンバーが対象の場合は、たとえば、安心して話せるコミュニティづくりを目指すハワイのp4cスタイルのほうが適しています。

さらに、「和やかに話したいので、反対意見は出ないようにして」や「〇〇の重要性を訴えたい！」といった要望は、哲学プラクティスの根幹にある自由で双方向的な学びに反するので応じるべきではありません。その場合は、改めて哲学プラクティスの特徴を説明し、依頼者の期待と哲学プラクティスの交わるやり方を提案する必要があります。

開催の趣旨や目的が明らかになったら、企画を具体化します。その際、以下のように告知に必要な情報を埋めていくつもりで進めると、必要事項を漏れなく検討しやすいです。

日時：対象となる人たちが集まりやすい曜日・時間は？

場所：対象やテーマに合った場所選びを。テーマや対話づくりに関心のある場所だと協力を得やすい。お店の場合は、混雑する時間は避けるなどの配慮が必要。

テーマ：対象や場所が先に決まっている場合は、それに合ったテーマ選びを。

進行役：地域や対象、テーマによっては、他の哲学プラクティショナーの助けが必要になる場合も。

参加費：実施に必要な費用を主催者が全て負担する場合もあれば、飲食代のみ参加者に負担してもらう場合、会場費や進行代も含めて参加費を設定する場合も。新規性や社会的意義が認められる場合、助成金を活用するという選択肢もありうる。

対象：テーマや場所から参加者を想定し、広報や会場設営の参考に。

定員：スペースや進行役のキャパ、目的などを考慮して制限したほうがよい場合も。参加者同士が対話しやすい席の配置にすると、同じスペースでも講演会より入れる人数が少なくなるので注意すること。準備のために参加者数を把握したい場合や、定員をオーバーしそうな場合は予約制に。

問い合わせ先
主催者

広報手段は集客層によって違います。普段からその場所に集う人が対象の場合は、ポスターやチラシ、口コミが効果的ですが、幅広く新しい人を集める場合は、ウェブサイトや新聞の情報欄が良いでしょう。地域の広報紙等も有効かもしれません。

準備だけでなく、アフターフォローも大切です。慣れていない依頼者の場合、一部の発言に立ち止まり全体の流れを捉え損ねていたり、発言を聴いている人たちの様子に気づいていなかったりすることがあります。とくに、理念やルールに反する発言が出た場合、それに対する反論や吟味があったことに気づかないでいると、哲学プラクティスに過剰な不安を抱いてしまう恐れもあります。終了後に一緒に対話のなかで何が起こっていたかをふりかえり、その意味や可能性、課題を共有することで依頼者の不安を解消することができます。

3 学校教育での対話のオーガナイズ

(1) 初等・中等教育での場合

ここでは、小学校や中学校、高等学校で実践する場合の注意点等を見ていきます。

小学校や中学校、高等学校においては、関係者に哲学プラクティスを行う理由や目的を丁寧に説明する必要があります。関係者とは誰のことでしょうか。当事者である子どもたち、周囲の同僚教員、管理職の教員、保護者の方々、場合によっては地域の人たちも重要な関係者となります。

関係者が多様であるために相手によって伝え方も異なってきます。たとえば、周囲の同僚教員へは、教科の会議や職員室での日常会話の中で自分の問題意識や意図を体験談とともに伝えることが重要です。興味を示す教員がいれば、授業に招待し一緒に活動を行ってもよいかもしれません。授業後に実際の子どもたちの議論の様子を伝えることも重要です。感想を書いてもらっていた場合、それを見せながら授業の様子を伝えると、自分でもやってみようと思ってくれる同僚教員がいるかもしれません。理解者が協力者へと変わってくれるかもしれません。

利用できる時間はおおまかに三つに分類できます。授業時間、特別活動の時間、その他の時間です。

授業時間の場合、授業の目的を明文化しておいた方が良いでしょう。子どもたちも含め慣れない授業ですので、普段以上に目的を意識する必要があります。たとえば、高等学校公民科「倫理」の授業であれば、その内容項目を深く理解するという目的、また、道徳の時間や国語の時間では授業内容に関連した問いを深める目的といった形です。

授業時間内の場合、授業を受ける子どもたちに加えて管理職教員に対する説明も重要です。多くの場合、子どもたちは哲学的議論を楽しむことができますが、概要を伝え聞いた人（保護者や他の教員たち）にとっては単なるおしゃべりのように思われてしまうことがあります。そのため、最初に行う際には、目的ややり方を丁寧に書いたプリント等を用意し配布すると良いでしょう。必要であれば、そのプリントを管理職教員に見せておいたり、周囲の教員に対して事前に哲学プラクティスを行う旨をそれとなく伝えたりする必要があります。他の先生方にアイデアを聞き、一緒にプリントを作ることができれば、協力者になってくれるかもしれません。学外から詳しい専門家を招き権威づけをするのも一つの方法です。いずれにせよ、授業を行う先生の熱意や議論の様子の報告が一番周囲の理解を促すものになるでしょう。

特別活動の時間を利用することもできます。具体的には学級活動におけるクラスづくりや、郊外活動の振り返り等に哲学プラクティスの手法を用いるやり方です。特別活動の中で議論や対話を行う際には、保護者の方に授業の意図を伝える必要があります。そのため、授業の後に学級通信やお知らせ等を通して哲学プラクティスの手法を利用した議論を行ったこと、その際に交わされた議論の内容等を伝えることができると良いでしょう。

放課後等に興味をもっている子どもたちを対象に行うこともできます。普段と違う雰囲気を演出するために、図書館や談話コーナー等、教室とは違う場所で行うと良いでしょう。少人数で楽しい時間を過ごすことができれば、その噂を聞いた子どもたちが次は参加してくれるかもしれません。学生会や委員会といった既存の組織を使って集まってもらうこともできます。放課後の時間を利用する場合は、堅苦しくないような雰囲気作りを心がけ、お茶やお菓子を用意しても良いでしょう。核となる積極的な子がいれば自分たちでクラブやサークルをつくることに発展するかもしれません。

(2) 大学での場合

近年、大学生が自主的に運営する哲学カフェや、大学内での哲学対話の活動も盛んになってきました。ここでは、①大学生によるオーガナイズ、②大学教員によるオーガナイズ、に分けて説明します。

①大学生によるオーガナイズ

1) テーマ：「大学で学ぶとはどういうことか」「就職活動とは何か」「友達とは何か」「笑いとは何か」「恋とは何か」など、学生生活のなかで感じた疑問や身近な出来事から、テーマとなる問いを立てましょう。友人と一緒に考えてみてもいいでしょう。

2) 場所：大学内であれば、学内のカフェや食堂、教室やコミュニティー・ルーム、広場や屋上などでも開催できます。参加人数次第ですが、一〇〜二〇人程度が収容できれば基本的にどこでもかまいません。できるだけ机やテーブルを囲まずに、参加者が輪になってお互いの話を聴くことができる環境を整えましょう。黒板やホワイトボードなどを使用するさいは、教室が活用できます。使用許可が必要な場合はあらかじめ大学側へ届出をしておきましょう。

3）広報：前述の「街中での対話のオーガナイズ」のやり方を参考に、チラシやポスターを学内で掲示したり配布を行ったり、SNSやウェブサイトを活用してもよいでしょう。口コミで参加者を募るのも効果的です。ただ、同年代の学生が集まると、対話は密になりやすいぶん、視野の広がりに欠ける場合があります。学内の教職員や保護者、地域の一般社会人などを巻き込むと対話の幅や流れも変化に富みます。内輪に閉じこもらず、多くの人たちとの対話の場を開くように心がけることをお勧めします。

4）準備と実施：飲み物やお菓子は主催者側で用意しても各自持ち寄りでもよいでしょう。また、ファシリテーター役、必要に応じて板書役を決めておきましょう。対話のファシリテーションについては第3章2節や第3章3節をみてください。

5）後片付け：参加者全員で会場の後片付けをしましょう。会場費、飲み物・お菓子代が必要であれば会費を頂きましょう（あらかじめ広報でお知らせしておきましょう）。また、匿名で回答ができるアンケートを実施し、対話の感想や次回のテーマを募るのもよいでしょう。

②学校教員によるオーガナイズ

二つに大別できます。

1）哲学カフェを開催する。

2）授業で実施する。

1）の場合、大学生によるオーガナイズと変わりませんが、テーマ設定やファシリテーションにおいて「教員」ではなく、あくまでも開催者や参加者の一人としての参加を心がけましょう。とくに会場が大学内の場合、教員の発言は権威となりがちです。自身の呼称を「先生」ではなく「さん」と呼んでもらう等の工夫が必要です。

2）の授業で哲学対話を実施する場合、(A) 授業のアイスブレイクや授業テーマへの導入、(B) 授業全体で展開、(C) 授業での講義内容を踏まえて実施など、哲学対話の授業内での位置づけが重要です。いずれの場合も、質問ゲームを行うと学生自身の発言は活発化します。質問が難しいグループには適宜教員が質問役として回っていってもよいでしょう。

知識や結論の伝達だけを主眼に授業を行うと、学生自身の思考や対話の幅が狭められてしまう場合があります。学生自身の自由な発想力・思考力を重視する場合は、授業内で提示した知識や結論をめぐって、その論理や理由づけ、説明、前提のなかに学生自身が疑問点や問題点を見出していくように、オープンエンドな展開を心がけましょう。また、学生からの疑問や問題点の指摘には、その回でなくても授業内で教員が応答するように努めるほうが対話のあり方として望ましいと思います。

6 いろいろなかたち

1 サイエンスカフェ、講演×哲学カフェ

サイエンスカフェとは、科学の専門家と一般の人々が、カフェなどの比較的小規模な場所で、飲み物などを用意して、科学について気軽に語り合う場をつくる試みです。これは、マルク・ソーテがはじめた哲学カフェにヒントを得た活動で、一九九八年頃にイギリスとフランスで始められたと言われています。サイエンスカフェの活動は、一般市民に科学の成果を知らせることだけが目的ではありません。科学と技術について、一般市民と科学者・研究者を繋ぎ、科学や技術の価値、そのあり方と方向性について両者が同等の立場で話し合う双方向的なコミュニケーションです。

通常、科学のある分野の専門家、あるいは関連する分野の専門家が話題提供を行い、ついで一般の参加者と対話を行うというものです。通常の科学の講演会や専門家だけのシンポジウム

と異なるのは、一般の人が科学について問題提起して、科学が市民生活に及ぼす影響や社会における意味などについて論じあう点です。たとえば、脳科学の専門家が子どもの脳の発達について話題提供したあと、子どもに脳科学の知見に基づいた早期教育をすべきかどうかという教育的なテーマについて対話したり、農学者と分子生物学者に話題提供してもらい、遺伝子の操作された作物の是非について、市民や農業関係者を交えて対話をしたりといった活動です。

科学ではなくても、法律家を呼んで話題提供をしてもらい、法律に関わる道徳的な問題について対話したり、福祉施設関係者を呼んで、介護やケアについての哲学カフェを行う試みもあります。人間の死について考察する死生学をテーマとしたカフェも開催されました。

2　美術館・ギャラリー×哲学カフェ、美術鑑賞×哲学対話

美術館やギャラリー、写真展などで行う哲学カフェは、展示作品を用いて、対話を行います。その際は、専門知識や作者の意図などを離れ、自分の言葉で感じ、考え、対話するということに気を付けます。そうすることによって、新鮮な目で作品を改めて鑑賞できるようになったり、他者の意見を聞いて違った見方をできるようになったり、対話だけでなく自身の鑑賞の仕方についても豊かな広がりを持つことができるようになります。

形式としては、ある作品を一つ決めて鑑賞したのちに問いを設定することや、一連の作品を

眺めたあとに、そうした振る舞いについてメタの立場から振り返り、「見るとはどういうことか」「絵を描くとはどういうことなのか」などの問いを設定することも考えられます。

また、美術館に直接行かなくとも、授業やカフェで作品を持ち寄ったり、プロジェクターに映したりなどして、同じように対話を行うことも可能です。

3 寺社×哲学カフェ

お寺や神社は日本中に遍在しており、かつては地域の中心でした。対話を行う開かれた場として都市ではカフェがありますが、都市以外では寺社に大きな可能性が秘められています。しかも地域の公民館や図書館にはない寺院の特徴として、木や畳のもたらす独特の安心感、そして仏教美術や線香といった非日常的な経験を作り出す宗教性、世代を超えて集まれる大きな空間デザインなどの特徴があります。一般参加者だけでなく、お坊さんや修行僧の方などを含めた哲学カフェにすると、話の広がりや思わぬ視点の交差が楽しめるかもしれません。

形式としては、お寺や神社を歩き回ってみたあと、その中で考えたことを問いにしたり、「墓は必要か」「死んだらどうなるのか」「祈りとは何か」など寺社という場所を活かした問いを設定したりなどが挙げられます。特に後者については、死についてなど、カフェでは話しづらいデリケートなテーマを設定しても、場所の効果で自然に話せることが多く、セーフな雰囲気がつくりやすい効果があります。

４　サイレント・ダイアローグ

紙上で対話や議論を行うワークです。書いて対話をするので、対面で話すということよりもハードルが下がり、匿名で行うこともできます。主に、話すより書くことに慣れている学生を対象に、学校で行うことが多く、今回の手順も授業を想定して紹介します。

1）教員は、問いを書く場所、意見を書く三か所、一言感想用のスペースを作ったプリントを学生全員に配布する。
2）学生は、プリントにそれぞれ問いを書く（問いは全員共通でもよい）。
3）教員は、プリントを回収し、シャッフルして再配布する（時間を短縮する場合は、2から4に移ること）。
4）学生は、プリントに書かれた問いに対して、自分の主張を書く。
5）教員は、プリントを回収し、シャッフルして再配布する。
6）学生は、二つ目の意見を書く欄に、一つ目の欄に書かれた意見に対する反論を書く。
7）教員は、プリントを回収し、シャッフルして再配布する。
8）学生は、一つ目と二つ目の共通の前提または根本的な対立点を見出し、それについての自分の主張を書く。

9）学生は、書き終わった人を見つけ、プリントを交換し、一言感想を書く。

10）二つ目の意見を書いた人に、プリントを渡す。

11）一つ目の意見を書いた人に、プリントを渡し、問いを立てた人にもプリントを回す。

ワーク作成者――村瀬智之

5　哲学ウォーク

哲学者の言葉が書かれたくじを引き、歩きながら考え、関連する場所を探すワークです。

アリストテレスが設立したリュケイオンという学園は、逍遥学派（ペリパトス派）とも呼ばれ、そぞろ歩きをしながら講義や議論を行なっていました。古代より哲学はしばしば屋外で歩きながら行われました。座ったり、部屋の中にいたりした時とはまた別の発想や考え方をすることができます。さまざまなやり方が可能ですが、以下、一つのやり方を紹介します。

ファシリテーターは短冊状にした哲学名言を人数分以上作っておき、歩く順路をあらかじめ調べておきます。手順は以下の通りです。

1）参加者は室内に集合し、スタート地点まで移動する。

2）名言短冊（「我思うゆえに我あり」などといった言葉が書かれている）をランダムに引いてもらう。
3）名言短冊は人に見せず、自分だけ覚えておく。
4）一列になって歩き始める。ファシリテーターが決めたルートを一時間〜二時間ほど歩く。歩いているときは終始無言。
5）自分の名言を表現している場所にきたと思ったら、手を挙げて「ストップ」と言って、全員を止める。
6）ファシリテーターは、止めた人に何の名言かを聞いて、その場所がなぜその名言を表現しているか、理由を説明してもらう。
7）ファシリテーターは止めた人と場所の写真を撮る。
8）他の人は、止めた人に対して哲学的な質問をする。ひとり一つ。全員でなくても良い。
9）止めた人は質問を受けても、その場では質問には答えずに、自分が気に入った質問を一つだけ選んで、みんなに伝える。再び歩き始めるので、歩いている間に、その質問への答えを考える。
10）ファシリテーターは選ばれた質問と質問者をメモっておく。
11）再び歩き始め、最終地点に至るまでに全員が場所を見つける。

12）最終地点まで場所を見つけられなかった人は、最終地点を自分の場所としなければならない。

13）室内に戻り、パソコンで写真を見ながら、自分の質問への回答を話す。

ワーク作成者――ピーター・ハーテロー（Peter Harteloh）

6　根っこワーク

「問いそのものを問う」ことを主眼にしたワーク。問いそのもの、つまり問題の根っこを探ることによって、考えを深めるきっかけになります。進め方は以下の手順です。

1）ある一つの問いに対して、二つの対立した答えを考える。

例）「死刑を宣告されたソクラテスは逃げるべきか？」という問いに対し「Yes 逃げるべきだ」「No 逃げるべきではない」

2）それぞれの答えに対して、その理由を考え、さらにその理由の理由を考えて下にそれぞれつなげていく。

例）Yesの下に「ソクラテスに罪はないから」その下に「人と対話するのが犯罪と言うのはおかしいから」その下に「悪法であるなら従わなくていいから」。

Noの下に「アテネの法律に従うべきだから」その下に「どんな法律でも従うべきだ

から」。

3）出てきた理由の中から対立しているものや似ているものを探す。

例）「どんな法律でも従うべきだから」と「悪法なら従わなくてもよい」が対立している

4）その対立が最初の問題の「根っこ」を構成していると思ったら「問題の根っこ」を問いの形で書く。

例）「悪法でも法であるなら従わなくてはいけないのか？」

5）根っことして出てきた問題に対する自分の意見を書き、その観点から、最初の問題にも答える。

ワーク作成者――村瀬智之、土屋陽介

7　金魚鉢

学校の教室での実践など対話の参加者が多い場合に有効な方法です。全体を二つのグループに分け、二重の円を作ります。内側のAグループがまずテーマについての対話をし、外側のBグループはAグループの対話を各々が紙に記録を取るなどして、どのように話が進んでいるのかを観察します。時間になったら、AとBの円を入れ替え、今度はBグループの人たちの対話をAグループの人たちが観察する番となります。最後、二つに分けたグループを一つにして、振り返りなど全体で対話をするのもよいかもしれません。

8　問いを鍛えるワーク

このワークは二つのパートに分かれています。第一に、あえてつまらない問いを作ることで、つまらなくするポイントを浮き立たせます。つまらない問いを作れるということは、面白くできそうなポイントに気づきあえてそれを塞げるということです。ハードルを下げつつ、お互いに「そうきたか」という創造的思考を刺激する楽しみ方ができます。第二に、今作った問いを哲学史の中にある型にあてはめて「哲学化」します。

つまらない問いなどないというのはもっともですが、実際にはその場の流れで決まって誰も探求する気のない問いや、みんなで探求するほどでもないような問いで対話の時間を過ごすこともあるでしょう。このワークの意図は、誰かの問いをつまらないと切り捨てる力を身につけることではなく、どんな問いでも色んな角度からつついて遊べるようになることです。自分一人でも、研修でも、授業でも実践することができます。

1）短い文章を提示して、なるべくつまらない問いを作ってもらいましょう。『ごんぎつね』『走れメロス』など教科書からすぐに引用でき、解釈の自由度が高くそれなりの思考の素材が得られる物語が良いでしょう。

2）作った問いを発表し、最もつまらないと思われる問いを多数決などで決定します。『ごんぎつね』で実際に出た例は、「兵十は本名か」「うなぎはなぜおいしいのか」などです。時間があれば、なぜその問いがつまらないかを話し合っても良いでしょう。あえて作ったつまらなさなので、誰かを傷つけるようなことはほぼないでしょう。

3）哲学の三分野である真・善・美にそって、問いを作り変えます。この作業でやることは、自分が問いを出すときの吟味や、対話中の問いかけに置き換えることができます。次の表に従って、練習問題のように解いてみて下さい。一気にやると大変なので、三～四グループに分けると良いでしょう。

	問いの型	例題「人生の目的は幸福か？」	練習「勉強は絶対必要か？」
真	意味、何	幸福とはどんな意味か？	
	違い	幸福と満足の違いは何？	
	例・反例	どんなときに幸福？満足なのに幸福じゃない時は？	
	もし～なら…？(if～ ,then...)	もし幸福になれないなら、そのとき人生に意味はある？	
	性質*	幸福の量は測れる？	

善	べき（善／悪）	人は幸福になるべき？	
	許せる	幸福でない人生も許せる？ どんな時だったら許せない？	
	権利	だれにでも幸福になる権利はある？ ない人はいる？	
美	美	美しい人は幸福？ 幸福な人生は美しい？	
	快／不快、好悪	不幸はいつも不快？不幸になるのが好きな場合もある？	
	感情	幸福ってどんな気持ち？	
メタ	問いの前提	そもそもなぜ「人生の目的は幸福か」と問いたいの？	
	問いの論証法	人生の目的が幸福であると確かめる方法はある？	
	本当に問いか？	これは問いになっている？	

*アリストテレスの10のカテゴリーを参照

ワーク作成者——古賀裕也

第3章 対話の実践方法

1 対話の場所と環境

対話は、人が集まってゆっくり、じっくり言葉を交わせる環境があれば、基本的にどのような場所でも行うことができます。喫茶店でも、教室でも、会議室でも、公園でも構いません。ただし、参加者が自由に発言してよいという「安心感」を抱いてもらえるような対話の場所と環境をつくることが大切です。いいかえれば、場所と環境の「安全性（セーフティー）」を保つことが大切です。もっとも、その場合の安心感は、ただのんびりできるというだけでなく、対話と思考の集中力を高めることのできる、ほどよい緊張感も含んでいます。

こうした安心感を保つことのできる安全な場所と環境が整えることができれば、対話はおのずとうまくいくはずです。逆に、そうした場所と環境が整っていないと、ファシリテーターや参加者がどれだけ頑張っても対話がなかなかうまく成り立たない、という場合も生じます。

その意味で、対話の場所と環境を準備することから、対話はすでに始まっていると言ってよいでしょう。

(1) 会場の選び方

基本的に、参加者が輪になって話ができるスペースがあれば、どこでも構いません。学校なら、教室、図書館、屋上などでもよいでしょう。大人数の場合には体育館などを使用してもよいと思います。公共の施設であれば、カフェや喫茶店、地域の図書館や公民館などの会議室、コミュニティー・スペースなどを使用できます。企業の研修室や貸し会議室で行われることもあります。

会場については、基本的に机は用いず、参加者分の数の椅子が準備できるところがよいでしょう。床や畳に座るかたちでも、参加者にストレス(硬すぎる、長時間座っていられないなど)がかからなければ、問題ありません。書き物などの何らかの作業をする場合は別として、机は参加者の対話を妨げる壁になりがちなので、対話のスペースから外すことがよくあります。そのため、机や椅子が可動式となっている会場を選ぶほうが望ましいのですが、机があってはならない、というわけではありません。

カフェや喫茶店を利用する場合は、あらかじめオーナーや店主に対話を実施することを告げ、許可をもらっておきましょう。対話の開催時間のあいだ貸し切りにしてもらうことも考えられますが、それが難しい場合は、ほかのお客さんの出入りによって対話が妨げられず、できるだけ参加者全員の話が聞こえるようなスペースを確保しましょう。

また飲み物代などは、参加費に含めて主催者側が事前・事後に集めてお店側に支払うこともありますが、参加者が各自支払うことにしておいたほうが、手間がかかりません。ただし、途中でお店側からの注文伺いなどが入って対話の流れが妨げられないよう、休憩時間などを含め注文のやり方をあらかじめお店側と調整しておくとよいでしょう。また参加者にもその旨、最初に知らせておきましょう。

（２）準備するものと告知

①飲み物とお菓子

参加者にリラックスして対話に臨んでもらうため、飲み物やちょっとしたお菓子を用意するのがよいでしょう。「哲学カフェ」と銘打つかたちでの対話のときには、文字どおり、コーヒーや紅茶、お茶などの飲み物などを提供することが多いようです。カフェや喫茶店で対話を開催する場合は問題ありませんが、会議室やコミュニティー・スペースなどで開催する場合、事前に数種類の飲み物やお菓子、また紙コップなどを購入しておくとよいでしょう。

②名札

見ず知らずの参加者同士が集まった対話では、互いの呼び名に困る場合があります。そこで、カードにサインペンなどで名前を書いて、名札をつけてもらうことがあります。そのさいの名前は本名でなくてもよく、対話のあいだのニックネームとして、各人がじぶんで自由につけることができます。これをPネーム（philosopher's name）と呼ぶ実践者もいます。Pネームは、ふだんの自分の立場や身分から離れる役割も果たすことができ、対等な対話の場所を作るのに有効です。

とはいえ、安心して話せる安全な場を作ることが目的ですから、それができていれば、名前も分からないまま対話を始めることもできます。どこの誰ともわからない見知らぬ人々が、熱心に語り合い、深い対話をしていること、そのことが、安心で安全な場を生み出すこともあります。このため、とくに哲学カフェでは、名札を用いても、対話を行う前に互いに詳しい自己紹介をすることはあえて避ける場合が多いようです。対話相手の職業や社会的な立場などがわかると、自由に話したり問いかけたりしにくくなり、その場で安心して思考を深めていくことが難しくなってしまうからです。

③黒板・ホワイトボード

対話の流れを記録するために、黒板やホワイトボードを使用することもあります。その場合は、ファシリテーター以外に、板書係の担当者をあらかじめ決めておきましょう。もちろん、板書係も対話に参加することができますし、途中で担当者が入れ替わっても構いません。学校の授業で行うときには、子どもたちに板書をしてもらうようにすると、教師は対話のファシリテーションに集中できます。また、子どもたちにとっても、対話を俯瞰して見るよい経験になります。板書係を買って出る子どもがいれば任せてもいいですし、教師が指名したり、くじ引きでランダムに決めたりしてもいいでしょう。

黒板やホワイトボードを使用する場合、対話にとって利点と欠点の両面があります。利点は、対話の論点が可視化されることで明確になり、ときに対話が複雑化しても、論点相互のつながりと議論の流れを振り返りながら、参加者がそれぞれに思考を整理できることです。最後に対話を振り返るときにも、全体を俯瞰でき、事後に思考を深める記録として有用です。欠点は、参加者の意識をもっぱら可視化された論点や記録の方へと向けてしまい、対話の流れから逸らしてしまうことです。板書に気をとられるあまり、参加者が文字化された言葉だけに囚われてしまうのは望ましくありません。こうした利点と欠点の両面をふまえたうえで、テーマや対話にふさわしいかたちでホワイトボードや黒板を使用するよう心がけましょう。

④コミュニティボール

コミュニティボールは、毛糸などで作られた柔らかいボールで、それをもっている人が発言をすることができ、ボールを渡された人が次の発言ができます。ぬいぐるみで代用もできます。コミュニティボールは、発言者が誰かを明示し、参加者全員に「聴く」姿勢を求める点でも、また対話の流れを目に見えるようにできる点でも大いに効果を発揮するので、多くの実践者に愛用されています（第3章6節参照）。ですが、カフェや喫茶店などでの対話には基本的に用いられませんし、それ以外の場でも、必要性を感じない実践者もいます。

コミュニティボールを使う場合は、対話のグループ分だけ用意しましょう。一つのまとまりで対話をするときは一つで構いませんが、小グループを複数作るときは、その分だけコミュニティボールを用意しておきましょう。

⑤参加費

会場費や飲み物代などの支出のため、参加費を設ける場合があります。会場・運営費プラス飲食代程度が一般的ですが、どのような対話を実施するかによって金額は変わります。対話を講演やセミナーと絡めた場合はゲスト講師への謝礼が発生しますし、また対話と何らかの特別なワークを組み合わせた場合はその道具や準備などにも費用が発生します。また、次に述べるように何らかの告知を打つ場合にも、場合によっては費用が生じることがあります。

哲学対話を推進するための市民団体（ＮＰＯや任意団体）が哲学対話を実施する場合、会場費や飲み物代以上の参加費を徴収することもあります。これは、哲学対話の活動を持続可能なものにするために必要なことです。市民団体の運営には、それなりの経費がかかるからです。また、日本ではまだ少数ですが、哲学対話で収入を得ている哲学プラクティスの専門家もいます。そうした専門家のほとんどは、企業などで哲学対話を実施して収入を得ていますが、街の哲学カフェでも相当額の料金を設定することがあります。

⑥告知

対話の開催日と場所、テーマ、参加費が決まったら、告知をしましょう。学校の授業などの場合は別として、いろいろな人に参加してもらいたいと考えているのであれば、開催日から少なくとも一週間以上前に各方面へ告知をしたほうがよいでしょう。チラシを作成して公共の掲示板などに掲載したり、ウェブサイトないしTwitter、Facebook、InstagramなどのSNSを活用したりして開催告知をするのも一つの手です。哲学対話を推進する市民団体も、ウェブサイトなどを使って告知をしたりしています。

SNSを利用した場合、多くの人に開催情報を広めることができ、これまで出会ったことのない人たちにも参加してもらいやすくなります。ただし、対話に関心がある人には開催情報が伝わりやすいものの、そもそも対話に関心のない人に伝わりにくい、という欠点もあります。その意味では、告知に費用をかけるよりも、まずは身近な友人や知人などに声をかけ、そこから口コミで参加を促してもらうのが、地道でも着実に参加者の輪を広げていくやり方です。哲学対話では、年齢や立場が異なるさまざまな人たちが集まると、対話の幅や流れにも大きな変化が生まれます。哲学対話を自由で開放的なものにするためにも、さまざまな人たちに参加してもらえる告知を心がけましょう。

（3）会場の作り方

（1）の会場の選び方で述べたとおり、何らか机上でのワークなどをする場合を除いて、参加者全員が輪になるようにしましょう。椅子に座る場合は、空席がないようにします。黒板やホワイトボードを使用する場合は、黒板やホワイトボードに向いて半円形の輪を作ります。飲み物やお菓子は、いつでも手に取ることができるように、円の外側で提供するようにしましょう。

学校の教室で行う場合は、机を教室の周囲に寄せて、教室の真ん中に椅子だけできれいな円形の輪を作って座るようにします。机を片側だけに寄せると、たいていの教室では空いたスペースが長方形になってしまい、子どもたちは楕円形の輪を作って座ることになります。こうなると、お互いの顔が見えにくくなるので、あまりよくありません。参加者全員がいつでもお互いに顔を見て話ができる環境を作ることが、円形の輪を作って座ることのポイントです。

（４）対話の場所の作り方

ファシリテーターは、こうして準備された会場を哲学対話の空間へと作り変える役回りを担います（詳しくは、第2章および第3章2節を参照してください）。そのさい、冒頭で述べたように、「安心感」を創出することが、ファシリテーターには求められます。ファシリテーターの役割は、権威となって議論を主導したり、自分の主張や結論を一方的に押しつけたりするのではなく、参加者が平等な立場で自由に意見を発言できる場を作り出すことにあります。そのため、哲学対話の冒頭では、ルール（詳しくは、第3章3節を参照してください）を参加者に明示し、また対話の進行中にも、ルールに反する発言や態度を指摘する役回りを担います。また、参加者に発言を強要したりせず、黙って考える余裕を作り出すことも、安心感を生み出す重要な点です。ファシリテーターは、知人であっても名前は必ずPネームで呼ぶように参加者に周知しましょう。飲み物やお菓子はいつでも自由に口にしてよいことも、伝えておきましょう。

そのうえでファシリテーターは、参加者の意見を受け止め、問いの理由や前提をさらに問い直すように問いかけ、多様な対話の流れを活性化するように努めます。そうすることで、対話の安心感は知的な緊張感を伴うものとなります。必要に応じて様々な意見を集約したり、対立点を提示したりもしますが、ファシリテーターだけがその役回りを担わなければならないわけではありません。参加者でそうした役割を果たす人がいれば、任せても一向に構いません。参加者と共に自由な思考の展開の場を作り上げるように努めるのが、ファシリテーターの役回りです。またコミュニティボールは、前述のとおり、発言者を明示し、参加者同士の対話のやり取りを可視化するので、ファシリテーターの役割を助ける道具として役立つこともあります。

長時間にわたる哲学対話の場合は、適宜休憩時間を挟むことも大切です。休憩時間のリラックスしたムードや参加者間の会話も、その後に続く対話を活性化します。疲れた場合は、休憩時間の前後で、ファシリテーターが交代してもよいでしょう。

板書係は、発言者の対話を逐一記録する必要はなく、要点やキーワードを記すように努めます。板書係も哲学対話の参加者の一人ですから、自らの考えを発言したいときはもちろん、要点やキーワードの相関関係を見つけたときも、積極的に発言して構いません。

(5) 対話の場所の閉じ方・開き方

哲学対話は一つの答えを求めるものではないので、ファシリテーターは対話を閉じるにあたり、まとめや結論を提示せず、オープンエンドで終わらせることが多いようです。それにより、対話の場所は参加者各人の思考へ、そしてさらなる対話の場所へと開かれます。

会場の後片付けは、主催者だけでなく、参加者全員で行うと、作業もスムーズで共同の感覚を味わえます。黒板やホワイトボードは、記録が欲しい人が写真などを撮影した後は、元通りにしましょう。机や椅子も同様です。飲み物やお菓子などのゴミも片づけます。名札やコミュニティボールは主催者が持ち帰ります。学校で行うときには、教師が授業後に職員室に持ち帰るよりも、教室のどこかのスペースで保管しておいて、管理も子どもたちに任せるようにした方が理想的です。哲学対話の時間以外にも、授業中やホームルームなどで話し合いの必要が生じたときにすぐに取り出すことができて、「哲学対話の授業を思い出しながら話し合ってみよう」などと声かけをすることもできるからです。

参加者たちの感想を知りたい場合は、アンケートを実施するのも一つのやり方です。事前にアンケート用紙やオンライン・アンケート（グーグル・フォームなど）を用意しておき、当日の感想、意見、また次回のテーマなどを募ってもよいでしょう。

主催者は、それらの感想を当日の模様を撮影した写真などと一緒にウェブサイトやSNSで公開し、さまざまな人たちへ今後の対話への参加を促してもよいでしょう。ただしその場合は、参加者にあらかじめ感想や写真の公開をしてもよいかを確認しておく必要があります。当日の模様の写真や自分の感想を公開してほしくない、という参加者がいれば、必ずそのとおり対応しましょう。これも参加者に安心感をもってもらうために必要な点です。

2　目的とファシリテーション

1　哲学プラクティスの目的——三つのタイプ

哲学対話には探求性、論理性、自己自身の吟味など一定の特徴があるものの、その目的にはさまざまなものがありえます。

哲学プラクティスと呼ばれる活動には、哲学カフェ、美術館などでの哲学対話、哲学相談、子どもの哲学、地域での哲学対話、企業・組織内での哲学対話などがありますが、これらの活動の目的はそれぞれ異なっています。

たとえば、哲学カフェや美術についての哲学対話は、基本的には特別に到達すべき目標はなく、哲学的なテーマについての対話そのものを楽しむためのものです。哲学相談は、個人やグループが抱える問題を解決あるいは解消しようとする対話です。子どもの哲学は、思考力やコミュニケーション能力の向上や市民性（シティズンシップ）の陶冶といった教育的な目的をもっています。地域での哲学対話では、地方創生や地域のコンフリクトの解決が求められています。企業や組織のための哲学対話では、その組織の目的に応じた対話が行われます。たとえば、企業では、企業の社会的価値は何かといった哲学的と呼んでよい議論がなされます。

このように哲学対話が行われる動機はさまざまで、その目的や目標もさまざまです。このとき、ファシリテーションの仕方もそれに応じて変えていくべきでしょうか。

まず確認しておくべきことは、以上にあげた哲学対話には、大きく言えば二つのプロセスが含まれているように思われるという点です。

一つは、人々のあいだで行われる議論を哲学的なレベルまで深め、そのレベルで思考するように促す基本となる段階です。これを含まないものは「哲学対話」とは呼ばれないでしょう。対話そのものを楽しむ活動では、この過程だけで終了します。しかし、活動の中には、そのあとに二つ目の過程をもつものがあります。そして、そのことによって哲学対話を区分することができるように思われます。この第二の過程を含む活動は、さらに、教育を目的とした活動と、問題解決を志向する活動に大別されます。すなわち、哲学プラクティスは、活動の目的で三つに分けられるように思われます。

第一のタイプは、哲学カフェ、美術館などでの哲学対話です。このような場では、それぞれの参加者の議論を通して、自分なりの新しい考え方や物の見方を得られればよしとされます。

対話を通して思考が深まればそれで十分なのであり、むしろ、特定の結論へとファシリテーターが誘導したり、全体をまとめたりするような総括はかえって対話から得られる収穫を貧しくしてしまう危険性があります。

第二のタイプとしては、哲学相談と子どもの哲学があげられます。哲学相談では、通常、ファシリテーターとの対話を通して、当面の問題について自分自身で回答を見つけることを目指します。この第一のプロセスに加えて、さまざまな問題に対処するための有効な思考法を身につけられるとさらによいとされます。

子どもの哲学も、その場で対話と思考の深まりを楽しみながら、他の課題に対しても対話と思考を深める方法を獲得することが教育の一環として求められています。あるいは、哲学対話によって道徳意識やシティズンシップが高まることが期待されています。つまり、この二つ目のタイプの活動においては、参加者が徐々に成長するような教育効果が求められていると言ってよいでしょう。

しかし第三のタイプ、地域や企業・組織での哲学対話の目的はもっと明確です。企業・組織内では研修や教育としてときに対話が行われることがありますが、それとは別に、はっきりと問題解決を志向する哲学対話も存在します。

たとえば、桑子（2016）の「談義」と呼ばれる対話活動は、哲学プラクティスと呼ばれるべき特徴を含んでいながら、他方で、合意形成という明確な目的をもっている活動です。それは、住民たちが直面しているコンフリクト（たとえば、ダム建設の是非）を、単なる妥協や譲歩、あるいは政治調停として解決するのではなく、住民がじっくりした対話を通して通常よりも深い価値のレベルで問題を捉え直し、問題意識を共有し、自らの意見を変容させながらよりよい答えを見つけ、全員一致での合意形成を目指す活動なのです。あるいは、病院の看護師を対象とした哲学対話では、一方で「看護とは何か」「健康とは何か」という哲学的な問いに遡りつつも、最終的に医療過誤や事故をどのように減らすかという目的をもっています。

2　目的に応じたファシリテーション

一般的に哲学プラクティスのファシリテーターは、哲学的な知識の習得とともに、第一の過程のファシリテーションの仕方を学ぶことが多いと思います。つまり、さまざまに異なる意見を提示させ、それらを相互にかみ合わせながら哲学的な問いへと誘い、参加者の暗黙の信念や価値観、習慣を問い直すような深い思考を促すやり方です。

しかし第二の過程については、こうした哲学対話を進める一般的なファシリテーションでは十分ではありません。

たとえば、哲学相談に関しては、それを心理学的カウンセリングと厳格に区別する立場と、心理学的カウンセリングと一線を画しながらも、一定の範囲でオーバーラップしたものとして捉える立場が存在しています。しかし、仮に前者の立場をとるとしても、クライアントに関する一定の臨床心理学的な知識が必要とされるかもしれません。すなわち、哲学相談が哲学相談であり続け、精神病理や精神疾患の問題に立ち入らないための、一線を画するための臨床心理学的知識と、そのための対話スキルが必要とされるかもしれないのです。

哲学相談での対話はかならずしも臨床的なテーマに及ぶとは限りません。ライフスタイルに関する問いや、誰もが出会うライフステージの段階での問い(たとえば、進学や就職、転職、家族など)がテーマとなることも多いでしょう。しかし、問いが臨床的な問題に至らないとは限らないことを考えると、どこまでを哲学的に対話し、どこからは心理職の専門家に任せるかの判断を知っておく必要はあります。

また、子どもの哲学はしばしば学校という場で行われます。子どもの哲学も、学校という教育制度に取り込まれれば、子どもにとっては一種の教科教育として受け取られるものです。学校という一定の権力が働いている場において、哲学対話という自由な議論を行うことには独特の難しさがあります。一つは、通常の授業との違いです。通常の授業では子どもたちは教師が提示する問題に対する正解を探し、発言するよう求められます。それに対して子どもの哲学では、子どもたちが問いを探すこと、正解が一つとは限らない問いを扱います。さらに、教師という権威的な存在や成績評価という権力的な構造も自由な議論を阻害する要因になりえます。教師がファシリテーターを行う場合はこの点を忘れてはいけないでしょう。

また、学級は、学校という権力空間のなかで独特の集団力学が働く場です。参加者の思考が深まる議論には一定の自由と安心感のある場が不可欠ですが、学級は時に自由と安心感とはまったく逆の様相を呈することがあります。他の人と違うことをすると、先生やクラスメイトから怒られ軽蔑される。正解以外は発言をしてはいけない。表面上の人間関係を維持しないと排除されるかもしれないといったことです。ただ、学級に働く集団力学は、適切に働きかければ、自由闊達で安全な学級の形成を促進する要因ともなります。学校でのファシリテーションには学級づくりという側面が入ることは見逃せない点です。

さらに、子どもには発達段階というものがあり、それをあまりに絶対的で一般的な基準として捉えるのは問題があるとしても、認知や情動のあり方が年齢によって変化することは明らかでしょう。年齢によって子ども同士や家庭での人間関係も変化し、また子どもとしてのライフステージも進展します。すなわち、発達心理学の知識を視野に入れたファシリテーションが必要とされます。

第三のタイプ、地域や企業・組織での哲学対話では、対話や思考を深めるだけではなく、そこから問題解決へと導かねばなりません。

こうした場合では、すでに通常のファシリテーターの役割だけでは十分ではありません。企業であるならば企業の内部の担当者と協力の上で、最終的にその企業の望む目的を達成しなければなりません。これは長い時間を要する過程です。

地域での町おこしを目的とした対話の場合を考えてみましょう。ファシリテーターが地域の担当者に招聘された場合でも、まず、地域や関係者の政治的・経済的・文化歴史的な背景をかなりの時間をかけて理解しなければなりません。その地域特有の共同体の特徴、また参加者同士の具体的な人間関係も重要な要因です。

ファシリテーターは、企業組織にとっても地域にとってもよそ者です。よそ者であるからからこそ、ある意味でこれまでの背景や文脈を脇において、深い対話を促すきっかけを与えることができる可能性があります。その一方で、地域やその集団の内部の協力者がなければ、最終的にその集団を問題解決へと歩を進めることはできないでしょう。というのも、ファシリテーターは、通常、訪問者にすぎず、時間的にも権限的にも、その地域や集団に与える影響は限界があるからです。

先に触れた桑子(2016)は、社会的な合意形成が一つのプロジェクトとしてマネジメントすべきだと指摘しています。たとえば、ダムの問題であれば、行政、事業主、専門家、市民(ステークホルダー)のあいだでプロジェクト・チームを作り、問題を解決しなければなりません。このなかで具体的な話し合いを積み重ねて対立を合意に導く役がファシリテーターです。ファシリテーターも一つのチームを作り、プロジェクト・チームと協働しながら、合意形成を目指すわけです。これは街で哲学カフェを開催するのとは、コミットメントの度合いも重さも大きく違うものです。この場合にも、哲学対話のファシリテーターは単なるその場の対話の司会役に止まることはできません。

参考文献

桑子敏雄（2016）『社会的合意形成のプロジェクトマネジメント』コロナ社

3 対話の進め方・終わり方

対話の進め方については、対話の場所と環境、対話の目的とファシリテーションとの関連で、すでにかなり具体的に明らかになっています。この節では、対話の始め方、進め方、終わり方という観点に絞って説明します。

1 対話の始め方

参加者が集まり、互いの顔を見ながらくつろいで話せる態勢で着席しているのを確認して、対話を始めます。輪が大きすぎたり、いびつな形になっていたりすれば、進行役がそれを直す提案をしたり、「お互いの顔が見えますか」「心地よく話せそうですか」などとそれとなく促したりしてもよいでしょう。

参加者が互いに名乗りあったり、自己紹介をしたりして始めることもありますが、まったくそのようなことをしないで始めることもあります。名乗りあうときに、本名ではなく、その場でのみ使うニックネームのようなもの（「Pネーム」（第3章1節参照）と呼ばれることもある）を使うと、自由で対等な対話の場をつくり出すのに有効ですし、雰囲気も和らぎます。また、自己紹介をすると、互いの背景を知ることになり、自由で対等な場が損なわれる恐れがあるので、まったく行わないか、行うとしてもごく簡単にすませる場合が多いようです。

哲学対話に慣れた人が半数くらいいれば、いきなりテーマや問いを掲げて対話に入ることもできますが、初めての人が多い場合、まずは哲学対話とは何か、哲学対話では何をするのかを、主催者やファシリテーターが簡単に説明するとよいでしょう。その際、その日のファシリテーターの役割を明確に伝えることが大切です。進行役の役割はさまざまなので、その説明は異なりますが、陥りがちな一つの勘違いを防ぐような説明をしておいたほうがよいでしょう。それは、ファシリテーターは対話を主導したり指導したりするのではなく、主役は参加者であり、ファシリテーターはあくまで対話のサポートをするのだ、ということです。言わずもがなのことにも思われるかもしれませんが、ファシリテーターがいつの間にか権威のようなものを帯び、参加者がファシリテーターに頼るという事態はよく生じます。そうなるともはや対話ではなくなってしまいます。

また、ファシリテーターが対話のルールや心得を用意している場合は、ここで説明します。教室や研修室で対話をするときは、対話やルールを掲示したり、対話やルールを書いた紙を輪の中心に置いたりするのもよいでしょう。

（1）緊張をほぐす

対話を始めるにあたって、緊張をほぐして和やかな雰囲気をつくるために簡単なウォーミングアップ（アイスブレイク）をすることもあります。

①席替え

誕生日順、名前のあいうえお順やアルファベット順に席替えをすると、参加者同士のコミュニケーションを促すことになりますし、同性同士や仲よし同士で固まって座っているのを分散させる効果もあります。

②問答ゲーム（質問ゲーム）

三～四人を一つのチームにして、簡単な問いをめぐって問答をするというゲームです。たとえば、「一週間自由に旅行できるとすれば、どこに行きたいですか」という問いに対して、Aさんが「北海道に行きたいです」と答えたとしましょう。それに対して、Bさん「なぜですか」、Cさん「誰と行きたいですか」、Dさん「熊が出て怖いのではないですか」などと問いかけます。同じことをBさん、Cさん、Dさんと順に行います。

これは、雰囲気づくりとして機能するだけでなく、哲学対話の中で「問いあう」ということに慣れてもらうために、相手に質問するハードルを下げるという効果ももちます。

③イエスノーゲーム

質問ゲームのように「質問する」ことに慣れる効果をもつゲームです。ファシリテーターが「出題者」となり、動物や食べ物、場所など何か身近なものを設定します。参加者は、ファシリテーターに「イエス／ノー」で答えられる質問をし、ファシリテーターが何を想像しているかを当てます。たとえば、出題者が場所というお題で「京都」を設定しているとすれば、参加者は「西日本ですか?」「観光客に人気ですか?」「海がありますか?」などと質問し、最初にそのお題が分かった人が勝ちというものです。

④ボールを使った自己紹介

コミュニティボール（第3章6節参照）があれば、順番に回していき、「子どものころから苦手なもの・ことは何ですか?」などテーマを決めて、名前とそれについてのエピソードを簡単に話してもらうという仕方で対話の雰囲気づくりをすることもできます。または、コミュニティボールを作るということ自体が雰囲気づくりにもなります。

テーマは問いが決まっていない場合やテーマは決まっているが問いが決まっていない場合は、ここでテーマや問いを挙げ合います。問いを挙げ合うこと自体が、ある種の自己紹介やウォーミングアップになることもあります。いくつか問いが出たところで、問いを選びます。

時間があれば、どの問いがおもしろいと思うか、理由を添えて意見を出し合うとよいでしょう。最終的には挙手による多数決か、進行役の判断で決めます。ただし、決め方については、参加者の了解をとるほうがよいでしょう。一回の対話では、問いは一つに絞るほうが賢明です。関連する問いがいくつかある場合、2～3個の問いを選ぶこともありますが、できるだけ避けるほうが望ましいでしょう。

また、小説や哲学書、童話や絵本、写真や絵画、映像作品、オブジェなどをもとに対話をする場合は、それらに関する感想を自由に述べ合うなかで、問いを探していきます。問いが決まったら、すぐにそれに対する答えを挙げてもらうのもよいのですが、時間に余裕があれば、その問いをめぐって各自が思い浮かべることや関連する個人的な経験などを述べ合うと、和やかな雰囲気で対話に入っていくことができるだけでなく、地に足のついた対話を進めることができます。

2 対話の進め方

対話の進め方は、ファシリテーターによって、また、対話の目的によってさまざまです。ですが、参加者が主役であり、参加者の間で対話が成立することが主目的であることには、変わりありません。対話の進め方の基本はそれに尽きます。

とはいえ、初心の参加者が多い場合、最初は参加者とファシリテーターの間のやり取りになりがちですが、それはある程度やむをえないところがあります。あまり性急に参加者同士の対話を促そうとすると、かえって話しにくい雰囲気になってしまうこともあるので、ファシリテーターは参加者の発言を丁寧に受け止めながら、徐々に参加者の間で対話が成り立つようにもっていきます。「どうぞ、みなさんに向かってお話しください」「今のご発言に意見や質問はありませんか」などと呼びかけてもよいでしょう。

参加者の発言が活発でない場合、一人ひとりに「いかがですか」「ご意見はありますか」「どう思われますか」などと発言を促したり、順番に発言してもらったりなどするのも、よいでしょう。ただ、発言したくない人に無理に発言させることにならないよう、配慮しましょう。総じて「沈黙を恐れず」くらいの心構えでいるほうがいいかもしれません。

逆に、参加者の発言が活発すぎる場合、対話の速度が速くなりすぎてついていけない人が出たり、発言に発言がかぶさったり、けんか腰になったりすることがあります。そういう場合には、進行役が対話の速度を緩める工夫をしなければなりません。「ちょっと待ってください」「もう少しゆっくり行きましょう」などと、直接減速を促すのももちろんいいのですが、それまでの話しの流れを整理したり確認したりすることも有効ですし、「もう一度言っていただけませんか」と言い直しを求めたり、「それは〜ということでしょうか」と内容を確認したりするのも、よい方法です。

以上がファシリテーターの最低限の介入です。さらにどこまで介入するかは、ファシリテーターの方針や対話の目的によって変わってきます。話しの流れが元のテーマや問いから逸れたとき、元に戻すかどうか、どれくらいの頻度で話しの流れの整理や確認を行うか、一つの発言をとくに取り上げたり、発言と発言を関連づけたりするかどうか、あるいはもっと積極的にファシリテーターが問いを投げかけたり、対話の方向づけを提案したりするかどうか——まったく介入しないタイプの進行もあれば、かなり強く介入するタイプの進行もあります。一概にどちらがいいとは言えません。強く介入するタイプの進行は、対話の流れが見えやすくなり、参加者が話しやすくまた考えやすくなるという利点がありますが、発言の多様性を狭め、思いがけない対話の展開の可能性を狭めることにもなりえます。

さて、ファシリテーターが念頭に置いておくと、進行役も楽になり、対話の質も上がることを二つ記しておきましょう。

一つは、ファシリテーターは対話に関する責任をすべて負う必要はない、ということです。対話はファシリテーターとすべての参加者が協力してつくりあげるものです。よい対話になるかどうかは、ファシリテーターだけでなく参加者にもかかっています。ですから、ファシリテーターは、参加者に責任を分担するように促していいし、むしろ促すべきです。たとえば、話しの流れを見失ったときは、参加者に「何を話していましたっけ」と尋ねたり、それまでの話しの流れを説明するよう求めたりしてもいいのです。

そこから、もう一つ念頭に置いておくとよいことが出てきます。対話の進行に関する対話をしてもよい、ということです。これを「メタ・ダイアローグ」と呼ぶ実践家もいます。参加者とともに、自分たちの対話がどうなっているのか、考えるのです。たとえば、話しが錯綜してわけがわからなくなることがあります。それ自体悪いことではないのですが、その結果参加者が楽しく対話を続けることができなくなるのは面白くありません。そこで、対話をみんなで振り返ってみて、対話がどのような流れになっているのか考え、これから先どのように進んでいけば面白い対話になりそうか考えるのです。

いずれにせよ、進行役も参加者も、対話の経験を積んで対話の技法と作法を身に着けていかなければ、よい対話の場は開かれません。哲学対話はファシリテーターも参加者も成長していく場であり、その意味でも、ファシリテーターと参加者が共同でつくっていく場なのです。

3 対話の終わり方

哲学的な問いの答えはそう簡単に出るものではありません。毎回の哲学対話も、結論の出ないまま終わるのがふつうです。いわゆるオープンエンドの終わり方です。そのため「終了時刻が来たから終わります」と宣言して、唐突に終わることがほとんどです。

ですが、時間的、心理的な余裕があれば、終了後も考え続けることを促すような終わり方を工夫するとよいでしょう。もっとも簡単にできることは、たとえば「今のもやもや感を大切に持ち帰って、考え続けてください」という言葉を添えることです。また、できる範囲で対話の流れを振り返って終わるのも、考え続けることを促すのに有効です。あるいは、その日の対話の感想を何人かの人にざっくばらんに話してもらうのもよいでしょう。

十分に時間があれば、対話に関する対話（メタ・ダイアローグ）のためにまとまった時間をとるのもよいでしょう。これは、対話の場をつくっていくという観点から、たいへん望ましいことです。対話の内容や展開の確認だけでなく、ファシリテーターの進め方に関する疑問や、対話が面白かった／面白くなかったのはなぜか、など対話のあり方に関する振り返りをすることもできます。

4 対話の記録の仕方

カフェや公共施設での「哲学カフェ」の取り組みに加え、小・中・高等学校、大学などの教育機関での実践が行われるようになるにつれ、哲学プラクティスにどのような教育的な効果があるのか、そもそも哲学プラクティスとはどのような取り組みなのかなど、実際の対話の記録を通して、その効果や意義を明らかにする研究への注目も集まっています。P4Cの創始者であるリップマンも、対話の評価について大きな意義をもたせていました。また、事例研究を目的としない場合にも、その場での哲学対話をよりよい対話へと改善していくことを目的に、対話の記録を取る場合もあります。

どのような場合においても、哲学対話の記録を取る場合は、実践者の独断によって記録を行ってはなりません。そもそも哲学プラクティスで話される内容は、一回性が高く、参加者にとっても「この場だから」話すことができるという事柄が含まれています。また、記録されていることを参加者が意識すること自体が、対話に影響を与えることもあります。そのため、実践者や調査者が対話の記録を行おうとする場合は、その目的や方法について、すべての参加者に同意を得たうえで行う必要があります。具体的に配慮すべき倫理基準については第5章4節を参照してください。ここでは、さまざまな場面に応じた対話の記録の方法を中心に説明します。

1　ホワイトボードなどを用いたその場での記録

哲学対話を行う場合、もっともよく用いられている対話の記録方法は、ホワイトボードや黒板に、対話の中で出てきたキーワードや参加者が話した内容を書き留めていくというものです。記録の仕方は、記録者によってさまざまです。キーワードだけをつなげて書く方法や、参加者の発言を細かく記していく方法などがあります。これらの方法は、対話の中で出されたテーマや問いを共有しやすくすることを目的としています。哲学対話は、事前にその流れを予測したり、ましてや黒板になにを書くのかを事前に計画したりすることはできないため、工夫が必要です。

ホワイトボードなどを用いた記録は、参加者にとっても、対話の流れを目で追うことができ、対話の構造を把握しやすくなるというメリットがあります。また、ファシリテーターにとっても、参加者が対話の流れを共有できる場があることで、これまでの対話を振り返ったり、対話を深めたりするときの一つの指標として有効です。このときの記録者は、ファシリテーター自身で行う場合もありますが、ファシリテーターが二役をこなすと対話の進行が落ち着かなくなる可能性があります。そのため、実践者側に人数のゆとりがある場合は、ファシリテーターとは別に記録の担当者を立ててもいいかもしれません。

しかし、皆が、ホワイトボードなり黒板なりの一つの記録媒体に注目することには、注意点もあります。それは、黒板がもつ権威性です。参加者の属性にもよりますが、実践の場が学校かつ低学年の場合、黒板に書かれることにはある一定の権威性を帯びてしまうことがあります。哲学対話の時間は、誰もが対等に、対話を通して考えを深めることが目指されますが、かならずしも日常的な授業はそのような空間にはなっていません。そのため、黒板に書かれることは〝正解〟であったり、教師によって〝認められたもの〟であったりという認識がもたれがちです。

当然、すべての参加者の発話を黒板に記すことは時間的にも難しいので、記録者が選択することになります。そのため、通常の授業における黒板に記されるような〝いいこと〟を意図して発言しようとすることもなくはありません。〝いいこと〟を言ってやろう、と意図して行われる対話は、他者を基準とした正解探しであり、いつまで経っても自分自身の中で生まれる〝わからなさ〟に向き合えずにいて、探究を深めることにはつながりません。参加者自身も、哲学対話においては〝いいこと〟を言うことが目的ではないこと、黒板に記されるのは正解であったり、承認を得たりしたものではないことを自覚する必要がありますが、実践者もそのことを説明する必要があります。

また、記録者は次のことを気に掛ける必要があります。それは、対話の中で出てきた言葉はなるべく言い換えずにそのまま記録することです。哲学対話のなかで発せられる言葉は、参加者にとって、少しの言葉の違いで意味やニュアンスが変わってしまうことがあります。特に、参加者から問いを募る場合は慎重になる必要があります。記録者の勝手な解釈によって、意味を取り違えることがないよう、参加者が発したそのままの言葉を記録しましょう。もし、要約などが必要な場合は、言い換えてもいいのか、どのように言い換えるのか、発言者に確認しましょう。通常の授業において、教師は児童生徒の発言を授業の進行に合わせて、教師の言葉に置き換えて授業を進めてしまうことがありますが、一人ひとりの言葉を大切にする哲学対話においてそれはタブーです。言葉のニュアンスを大切に記録するという意識がとても重要です。

2 実践者が行う記録

学校の教室など、継続的に哲学対話を行える環境が整った場合、実践者は児童生徒や参加者の考え方の変化や対話の深まり、空間の変化に気づくことができるかもしれません。このような変化に気づくためには、日常的に哲学対話の様子を記録することが有効です。記録の仕方としては、実践した内容（その日に出された問いや対話が行われた問い、対話の流れなど）を客観的な事実として記録したり、実践者の感想を記録したり、学校などの場合は児童生徒ごとに発言や気になった点を記録しておくなどの方法が考えられます。

しかし、学校など、参加者が固定されていて、個々人の発言を継続的に記録することができる場合、実践者が対話の記録を重視するあまり、実際の対話における児童生徒の発言を過去の発言と結び付け、誤った解釈をしてしまう可能性があることに自覚的になる必要があります。実際の対話の場面では、これまでの発言などを思い出したり、結びつけたりしながら実践を行うよりも、その場にいる児童生徒の言葉に耳を傾けることが大切です。

3 参加者が行う記録

記録者は、実践者や調査者だけでなく、参加者自身が行うこともあります。そのような授業形態として金魚鉢という方法があります。第2章6節にも説明がありますが、児童生徒が二重の円を作り、内側の円の人が対話をして、外側の円の人がその記録を取るなどして、観察をする方法です。対話を行っていない児童生徒は、対話がどのように進んでいるのか、対話の記録を行います。自分が対話を行っている最中に記録を取ることはなかなか難しいですが、金魚鉢の方法で他者の対話を俯瞰的に記録することで、対話の流れや構造をつかむための練習を行うことができます。つまり、ホワイトボードや黒板に行う対話の記録を、個々人が行う、という形式です。

その他にも、参加者個人が自らの考えや対話全体を通しての感想を記録する方法がありま す。この場合、記録の方法は参加者の好みによりますが、ここでは、学校などの場で継続的な記録を行う場合を想定した「哲学ノート」を紹介します。

「哲学ノート」とは、個々人が考えた事柄を自由に記述するためのものです。学校における「ノート」は、ノートの取り方から指導の対象とされ、教師に回収されたり、評価の対象となることがあります。しかし、哲学ノートでは、哲学対話での内容を受けて考えたことや思考の深まりを記録したり、新たに浮かんだ問いや疑問を自覚して、向き合うことが尊重されるため、これが正しいノートの取り方だというものはありません。そのため、ここで示す形式も一例でしかありません。

基本的には、①その日の問い、②対話を行う前に抱いている、問いに対しての考え、③対話中に気づいたことや考えたこと、④対話を通しての問いに対しての考え、などの項目が考えられます。また、問いについての考えだけでなく、今日の対話はどうであったのか、対話を振り返る項目を設けることで、よりよい対話に向けたまなざしを育むことにつながります。

学校教育において哲学対話をいかに評価するのか、という点は学校教育に哲学対話を導入するうえで大きな課題の一つです。哲学ノートに外在的な指標を持ち込み、そのまま評価の対象とすることは望ましくはないですが、ポートフォリオの考え方を参考に、個々人が継続的に哲学対話について記録する営みは、哲学対話の評価を考えるうえで一つのヒントになりえます。

4 調査者が行う記録

冒頭でも述べた通り、哲学対話の営みをフィールドに調査研究を行うことがあります。記録の方法としては、調査者が哲学対話のフィールドに入り、フィールドでの出来事や気づきを記録するフィールドノーツを作成する方法や、質問紙を用いての記録、ＩＣレコーダーなどを用いた音声での記録、また、映像での記録や、実践者や参加者にインタビューを行って哲学対話を記録することなどが考えられます。調査に際しては、個人情報やプライバシーの保護に十分に配慮する必要があります。ここでは、それぞれの記録の仕方の特徴と注意すべき点を説明します。

まずは、フィールドにおける調査を支えるフィールドノーツでの記録についてです。フィールドノーツの記述では、フィールドに入って得た情報を、その場にいない人が読んだとしても、その場でのできごとや雰囲気を追体験できるような記述が望ましいとされています。そのため、フィールドでの走り書きはフィールドメモにすぎず、フィールドから戻って改めてフィールドノーツを書く必要があります。この後紹介する記録の方法を支えるのは、フィールドノーツを用いた記録です。その場で起こった事柄をより鮮明に記述することで、質問紙や映像での記録が生きてきます。

次に、質問紙を用いての記録についてです。質問紙では、対話では捉えることのできない、隠された個々人の感想や意見を知ることが可能です。さらに、回答を無記名で行えば回答者の匿名性が守られやすいという利点があります。

しかし、質問紙は実施の容易さや匿名性の高さと引き換えに、回答者が質問内容についての関心がない場合、表面的な回答しか得られなかったり、自らの考えとは異なった回答をしたりする場合もありえます。また、質問紙は調査者と回答者が文字でのやり取りをするため、回答者に誤解を与えないような質問項目の作成が求められます。

インタビューによる記録では、対象者をしぼったうえで調査が行われる場合が多いです。フィールドノーツを作成するなかで気になった参加者や質問紙調査の結果を参考にしてもいいかもしれません。インタビューによる記録では、質問紙に比べてより直接的に調査協力者とかかわりながら、対話するなかで情報が紡ぎ出されていきます。そのため、即興的な質問がなされることも多いのですが、事前に聞きたい質問項目を定めておく必要があります。場合によっては、質問項目を調査協力者に共有しておくと、よりスムーズにインタビューを行うことができます。

また、インタビューによる記録は、調査協力者との信頼関係をいかに築き、自由に語ってもらえるかがカギです。調査者は、調査の目的や期待する結果にそぐわないような回答であったとしても、切り捨てるのではなく耳を傾けることが大切です。

最後に、音声や映像での記録についてです。哲学対話においてどのようなことが話されたのか、哲学対話の時間そのものを記録するためには、音声や映像を用いた記録の方法が有効です。どちらの場合も参加者から調査の許諾を得る必要があります。特に、多くの情報を一度に捉えることができる映像での記録はより慎重になる必要があります。音声ならば問題ないが、所作や表情なども記録されてしまう映像での記録は抵抗がある人もいます。記録の目的にもよりますが、ファシリテーターの表情を捉えたいのか、参加者の所作を捉えたいのか。どの方法にも共通して言えることですが、記録を取る目的を明確にすることによって参加者にも説明しやすくなり、理解を得ることにつながります。

5 題材と教材

ここでは、哲学プラクティスを行っていく際に使用できる教材や題材について紹介していきます。

1 何でもテーマになる

最初に確認しておきたいことは、哲学プラクティスにおいては、基本的にはどんなものも、教材・題材になりますし、どのようなものからでも問いを立てることができます。これは大げさな話ではありません。おそらく世界のあらゆることが哲学的思考を刺激する問題をはらんでいます。哲学の面白さの一つはこのようなあらゆることを思考の対象にできること、別の言葉で言えば「節操の無さ」にあるとも言えます。

題材やテーマに制限がないため、哲学プラクティスの基本は、そこに集まった参加者が考えたい問いについて、ともに考える、というものです。しばしばこの方法は「プレーンバニラ」

と呼ばれています。この言葉はハワイでの子どもの哲学の実践の中で名付けられたもので、アイスクリームの一番の基本であるバニラアイスクリームのことです。

2 プレーンバニラでは難しいとき

「プレーンバニラ」では難しいと感じられることもあります。たとえば、授業や連続講座のように、何回かの実践を連続で行う場合です。このような時に、毎回同じ参加者が問い出しをすると問いが似通ってきてしまい、思考や対話の広がりに欠けると感じられる場合もあるでしょう。また、哲学カフェなどの街の中で行う哲学プラクティスの場合、テーマや問いをあらかじめ示しておいたほうが参加しやすい場合もあります。まさにそのテーマだったから参加したいと思う人もいるでしょう。常連さんではなく、初めて哲学カフェに参加する人たちにとってはテーマや問いがはっきりとしている方が参加しやすいようです。さらに、学校の授業などにおいて扱うべきテーマや深めてほしい問い、日常と結びつけて考えてほしいと教師が思っている問題などがあるケースも、プレーンバニラではない方が良いでしょう。

プレーンバニラではない形で進めるときには、最初に教材や題材を示し、そこから問いを出してもらうという形が一般的です。あるいは、一つの言葉をきっかけに話を進めながら問いを決めていくという方法もあるでしょう。

ここでは、教材や題材に注目して見ていきたいと思います。

3 やりやすい教材ってなんだろう

教材に注意が向けられる典型的なケースは授業に哲学対話を取り入れる場合です。そこで最初は教材を念頭に話を進めていきます。ですが、ここで書かれていることの多くは、街で行われるような、子どもの哲学や哲学カフェの題材選びにも資するものでしょう。

やりやすい教材を選ぶ基準となるのは、次のような要素です。問いの出しやすさ、対話のしやすさ、紹介するために必要な所要時間、手に入れやすさなどです。さらに、哲学カフェなどにおいては、集客力、年代なども考慮の対象になります。このような基準に従って、候補となる教材や題材を比較してみると、それぞれの特徴を理解する手助けになるでしょう。

もう少し具体的に、分かりやすさ、時間、ストーリー性の三点を見ていきましょう。

「分かりやすさ」は特に授業において重要です。難しい言葉や前提として必要となる知識が多いものは、そこに疑義が生じてしまい、肝心の議論に至らない場合があります。ストーリーの構造が複雑だったり、一回聞いただけでは分からなかったりするようなものだと、そこから問いを出すことは難しいはずです。具体的な対策としては、学齢よりも年下の子どもたちが読むようなものを選ぶと良いでしょう。

また、ストーリー性があるものの方が、問いが出やすく対話が刺激されるようです。絵本は哲学プラクティスによく使われる題材ですが、ものによってはストーリーがありません。たとえば、『いないいないばあ』（文：松谷みよ子、絵：瀬川康男、1967、童心社）は名作絵本として名高いものではありますが、ここから問いを出すことは、子どもたちにとっては難しいと思われます。

また、時間という要素も重要です。あまりに長いものだと紹介に時間がかかってしまって対話の時間が確保できません。映画を題材に哲学プラクティスを行う取り組みは多くありますが、全体が数時間を超えてしまいます。授業であれば二回分か三回分とる必要がありますし、街のイベントであれば、事前に鑑賞してきてもらうといったやり方が必要になります。

どれがよい題材かは場所や目的に応じて様々ではありますが、名作と呼ばれる絵本や映画、また昔話といったものは扱いやすい題材です。哲学プラクティスにおいてよく扱われる題材や教材はこの節の末尾で紹介しています。

4　やりやすい問いってどんなもの

哲学プラクティスでは、書籍や映画等を題材として使用する場合もあれば、問い自体を題材にする場合もあります。哲学カフェ等においてあらかじめ問いを提示して参加者を募集する場合などです。このとき、どのような問いが良いのか迷うかもしれません。やりやすい問いはあるのでしょうか。

まず指摘しなければならないのは、主催者側の直感はアテにならないことが多いということです。特に、参加者が子どもの場合、大人の直感は外れることがよくあります。たとえば、小学生は「世界に果てはあるか」「時間はなぜ流れるのか」等の問いを好む傾向があります。少し意外ですが、小さな子どもたちは、いわゆる形而上学的な問い（世界の存在の根源を問う哲学の分野で、古代からの哲学のもっとも基本的なテーマの一つです）が好きなのです。そのため、基本的には議論に参加する人たちで問いを決めるのが一番です。この点は、問いや題材、教材についても言えます。たとえば、主催者や教員がいくつか用意し、その中から選んでもらうといったプロセスを入れることで問いや題材、教材選びにも参加してもらうやり方です。

もちろん、問いや題材だけが対話の流れを決めるものではありません。思考の深まりは対話の流れによって決まるものです。その意味では、問いや題材はキッカケに過ぎません。気軽に楽しみながら選ぶことも大切です。

5 やりにくい問いってどんなもの

もちろん、やりにくい問いというものもあるように思います。

大きすぎる問いはやりづらいことがあります。「○○とはなにか」「○○とはどのようなことか」といった問いです（○○には概念が入ります）。こういった時には、もう少し小さな問いへと変換してみましょう。たとえば、「愛とはなにか」を変換するなら、「恋と愛は別物ならどうちがうか」「なぜ人を好きになるのか」「顔か、性格、どちらで人を好きになるのか」「愛はいつ終わるのか」「親のお節介は、本当に、子どもへの愛だといえるか」などです。これらは、最初の大きな問いに含まれていたり、強く関連したりする問いですので、そこからスタートして「愛とはなにか」にせまっていくことができるでしょう。

また、政治的な問題についていきなり扱うのは難しいでしょう。その理由の一つは前提として必要な知識が多いことにあります。そのような種類の問題は考えることよりも知識によって議論が進んでしまう可能性があります。さらに、政治的な問題の場合、それを扱う動機や問題意識が、特定の行動や思想と結びついている場合があり、集団での議論や吟味が難しい場合があります。しかも、正しい情報にアクセスすることが困難な場合や、そもそも正しい情報とは何かという問題も生じてきます。

一般にインパクトの強いものや参加者にとって考えのギャップがあるものの方が盛り上がる傾向にありますが、そのことが対話や考えの深まりに直接つながるかどうかは分からないという点に注意が必要です。また、ファシリテーターに強い思い入れがある問いを選ぶと参加者は対話の流れについていきづらくなります。そのような場合は、ファシリテーターではなく、別の人にファシリテーションを頼んで自分は一参加者として参加すると良いでしょう。

6 注意が必要な問い

場所や年齢によって注意や準備を要する問いやテーマがあります。分かりやすいのは、学校現場でのケースです。たとえば、学校において「いじめ」をテーマにした問いが選ばれたとします。その問い自体に悪意がなくても、いじめがそのクラスで進行中の場合、対話の場を通していじめが再演される可能性があり、十分配慮が必要です。「性」に関わるテーマの場合、発言自体がマイノリティへのプレッシャーになる可能性を常に念頭に置く必要がありますし、対話の場がカミングアウトを求めるものになってしまってはいけません。若年層の場合、性に関する自己決定自体をしていない子も多いことを肝に銘じる必要があるでしょう。街場の哲学カフェにおいても同様の配慮が必要な場合があるでしょう。

このようなテーマや問いは、いつでも避けられるべき問いというわけではありません。対話の中に緊張感があったとしても、様々な視点から深い吟味がなされれば、その対話は参加者にとって忘れられない体験になり、学校であればクラスの雰囲気の改善にも繋がるかもしれません。まだこれらの問いへの準備ができていないと感じられるときはあえて時間をとって十分な準備をしたあとで取り上げたり、一般的な問いの形に変換してみたりする（たとえば、「この学校の生徒でなくても参加できるような問いにしてみて」といった声かけをする）といった工夫が必要でしょう。

7　具体的な題材や教材

最後に、具体的な題材や教材をご紹介します。ただ、題材や教材は、ある意味では素材に過ぎません。それをどのように料理するかは、皆さんの手にかかっています。「どのタイミングで議論をするのか」「どう組み合わせるか」といったところは、実践者の腕の見せ所でもあります。一般的には、特定の方向に議論を導くように教材を提示するのではなく、多様な解釈ができるように提示するほうが議論に広がりが出ます。ぜひ色々と試して見て下さい。

（1）具体的な題材や教材

①問いを与えてくれる教材

●オスカー・ブルニフィエの哲学絵本シリーズ（オスカー・ブルニフィエ著、西宮かおり訳（2006）『人生って、なに？』朝日出版社など）

●まいにち哲学カレンダー（学事出版、2018）、てつがくおしゃべりカード（ほんの木、2017）、てつがく絵カード（ほんの木、2017）

●Eテレの映像資料

自由に問いを立てるといってもどんな問いがあるのかわからないという人には、哲学カレンダーやおしゃべりカードが役立ちます。イメージしやすい素敵な絵とともに問いが書かれているので、哲学的な問いを身近に感じることができるはずです。さらに、オスカー・ブルニフィエの絵本は、哲学的な問いに対する答えもイラストで書かれているので、答えの可能性を考えながら、問いを眺めることができます。

●てつがくおしゃべりカード　http://www.honnoki.jp/tetsugakucards/

●てつがく絵カード　http://www.honnoki.jp/tetsugakucards/

●まいにち哲学カレンダー　http://www.gakuji.co.jp/book/978-4-7619-2500-0.html

●NHK・Eテレ「Q〜こどものための哲学」　http://www.nhk.or.jp/sougou/q/

②考える物語を与えてくれる素材

●がまくんとかえるくんシリーズ（アーノルド・ローベル著、三木卓訳（1977）『ふたりはいつも』文化出

版局など）

●シェル・シルヴァスタイン著、村上春樹訳（2010）『おおきな木』あすなろ書房

ユニークなキャラクターがまくんとかえるくんが登場するアーノルド・ローベル（Arnold Lobel）によるシリーズ絵本は、どのお話も強くひきこまれる楽しい話でありながら、物語の中に問いが含まれています。さらに、その問いに対して簡単には答えが出せないような矛盾が含まれたお話にまとめられています。「落ち葉」という話では、かえるくんとがまくんはお互いの庭へ、相手を喜ばせるために掃除に行きます。帰ってくる途中、風のいたずらで、二人の庭はもとどおり、落ち葉だらけになるのですが、二人とも幸せな気持ちで眠りにつきます。掃除の成果は消えてしまったのに、果たしてふたりは本当に幸せだったのでしょうか?·幸せ、そうでない、どちらの立場にも立つことができるはずです。

シェル・シルヴァスタイン（Shel Silverstein）の『おおきな木』も同じ意味で、考えやすい絵本です。木は少年の求めに応じ続けた結果、切り株になってしまいますが、最後に少年が戻ってきた時には幸せでした。少年と木、それぞれは本当に幸せだったのでしょうか。以下、参考までに、同じ絵本『おおきな木』を使った対話で、異なった学年の実践例です。多様な展開を見ることができるはずです。

●小学校4年生　http://p4c-japan.com/wp/wp-content/uploads/2015/09/kanazawa.pdf

・小学校5年生　http://p4c-japan.com/wp/wp-content/uploads/2015/09/takemoto1.pdf
・中学校3年生　http://p4c-japan.com/wp/wp-content/uploads/2015/11/giving-tree3-1.pdf

他にも松見秀（2006）『ほんとうだよ』（福音館書店）は、哲学や倫理学の授業で出てくるアイデアとの連関が強く、授業で取り扱いやすいと言えます。ぜひ、自分なりに使いやすい絵本を探してみてください。

③映画、音楽、漫画、小説、新聞記事を複合的に使う

・『この世界の片隅に』（映画、音楽、漫画、ドラマ、詩……）

漫画『この世界の片隅に』（こうの史代、双葉社、2008）は複合的な題材提示の可能性を見せてくれます。映画（片渕須直監督、2016）、ドラマなど、様々な形でリライトされている作品なので、どの媒体を提示するのかによって議論の中身は変容します。例えば、映画に使われている「みぎてのうた」（作詞：こうの史代・片渕須直、作曲：コトリンゴ）を全員で聞いて、歌詞の内容を吟味し、問いを立てて議論するという可能性もあります。戦争という重いテーマであったとしても、扱い方次第で議論の幅は多様に広がっていくのです。

・『高瀬舟』（新聞記事、小説、小説の解説……）

別のパターンの例としては、安楽死・尊厳死について議論するために森鷗外の『高瀬舟』を用いるという可能性があります。テーマ（安楽死）に関わる新聞記事を読んで現代の死のあり方を知った上で、明治時代の名作を鑑賞すると読み方が変容するはずです。『高瀬舟』に関しては『高瀬舟縁起』のなかで森鷗外自身が解説しています。また、そこから、リビング・ウィルやアドバンスド・ディレクティブなどの現代的な問題への切り口とすることもできるでしょう。以下、参考までに学校で行われた『高瀬舟』の例をあげておきます。

- p4c-japan のウェブページ　http://p4c-japan.com/wp/wp-content/uploads/2016/02/takasebune.pdf

様々な物事を多角的に理解することは、実は私たちが日頃から普通に行なっていることです。日常生活の中から、様々な題材、教材を探してみることが一番の近道かもしれません。

6 道具

1 はじめに

哲学対話は、人々が集まって議論することが基本ですので、これこれの道具がなければ実施できないというわけではありません。ただ、目的や場所に応じて道具を使用すればうまく対話を進めることができます。道具は対話自体を深める助けになったり、記録や振り返りに使ったりすることができます。

2 道具の種類と使われる状況

道具の中には、様々な場所で使用できる汎用的なものと、使われる場所が限定的なものがあります。ここでは、汎用的な道具と、特に学校などで有効な道具とに分けて見ていきましょう。

汎用的		
1　大きな白紙	2　コミュニティボール	3　Pネーム
4　Good Thinker's Toolkit	5　発言記録紙	6　ディスカッションマット
7　三色カード	8　哲学対話の紹介動画	9　飲み物
学校		
10　黒板	11　p4c ジャーナル（振り返りシート、ワークシート）&クリップボード	
12　机、椅子	13　マジックワード	14　サイレント・ダイアローグ
教材・教具		
15　おもちゃのビンゴゲーム機・はてなボックスなど		
16　トランプ	17　タイマー	

3　上記に挙げた道具の詳細

（1）大きな白紙の使い方

主催者や司会者の補助等が対話の記録をとることができます。あるいは、参加者が思いついたことを自由に書いたり、それを大きく書いて参加者で共有したりするといったことにも使えます。参加者に問いや質問を書いてもらっても良いでしょう。NSD（ネオ・ソクラティク・ダイアローグ）などのように紙の使い方が厳密に決まっている場合もあります。たとえば、NSDでは、参加者全員が合意したことしか紙に書けないといったルールがあります。大きな白紙という単純なものですが、その使い方のルールを考えてみるのも面白いでしょう。

（2）コミュニティボール

①使い方

誰が話すかを示すボールです。基本的には持っている人が話します。自分の話が終わったら、次に話す人を選びます。この時、話したいと手を上げている人に回すのが基本ですが、自分が意見を聴いてみたい人に回す場合もあります。ボールが回ってきた人はパスすることもできます。あくまでボールは、探求に誘うためのもので、強制的に話させる道具ではない点に注意が必要です。

②作り方

まず用意するものは、筒状の何か（サランラップの芯のように事前に準備をする場合もありますが、適当な大きさの雑誌等を使うこともできます）、いくつかの毛糸玉、結束バンド、ハサミです。

参加者の全員で作っていきます。まず、筒状のものに毛糸を巻きつけていきます。「最近はまっていることはなんですか」といった簡単に答えられる問いについて話しながら、一人ずつ毛糸を巻きつけていきます。全員が話し終わったら、中心を結束バンドで止めて、ハサミで切っていけば完成します。コミュニティの多様性と結束をボールが表現しています。（作り方は次のサイトが参考になるでしょう。p4c-japan　http://p4c-japan.com/about_tool_ball/）

（3）Pネーム

哲学をする時間だけに用いる新しい名前のことです。たとえば、ある組織へ外部からファシリテーターとして派遣される場合には、組織内部での関係性のために、参加者が自由に自分の考えを話すことがしづらいことが予想されます。そんな時には、哲学する時間に用いるPネームを使います。当然のことながら、自己紹介はPネームのみにし、所属や肩書は紹介しないほうがよいでしょう。

Pネームは、基本的に自分で決めます。昔のニックネームやSNSのアカウント名、昔から呼ばれたかった名前、その場で思いついたもの。Pネームは、どんな名前でも構いません。名札に書いてもらい、哲学の時間のときにはつけてもらいましょう。また、目的に鑑みて他の時間に持ち越さない方がよいでしょう。

（4）Good Thinker's Toolkit

「理由（なぜ〜?・）」「例（たとえば?・）」などが書かれたカードです。対話を深めていくために、対話の中で参加者がお互いに留意しあったり問いあったりするべきポイントや発問例が書かれています。対話を始める前に全員に示して、おしゃべりとは違う哲学対話の特徴を説明するのに使ったり、哲学対話において問い合うことの重要性を全員で確認するのに使ったりします。対話中に床に置いて、発言に対して質問することを意識づけるリマインダーとして使うこともできます。

元々はハワイの小・中・高等学校で使われている教具ですが、後述するEテレの番組「Q〜こどものための哲学」では、それを基に作られた「Qワード」が使用されています。「Qワード」は番組ウェブサイト（NHK for School）からダウンロードすることができます。

（5）発言記録紙

哲学対話での発言や議論の流れを記録するための用紙です。特定の形式があるわけではありませんが、進行役が議論の流れを整理したり振り返ったりする際に使うことができます。

授業のなかで、他の人たちが行っている議論の様子を記録するというアクティビティを行うことができます。普段よりも注意深く議論の様子を見ることで議論に臨む姿勢や態度、また、議論の内容について気づきを得ることができます。

(6) ディスカッションマット

「質問」「主張」「理由」などが書かれたマットです。発言者は発言を終えた後で、自分の発言がマットの中のどのカテゴリーに属するものであったかを考え、該当する(と思う)箇所にしるし(メダルやマッチ棒など)を置きます。自分の発言がどのような種類の発言であるかを絶えず意識してふりかえることにより、哲学的思考の特徴である批判的で反省的な思考を鍛えることが目指されています。

授業などで哲学対話をする際に教員が小さなディスカッションマットを手元に置いて議論の様子を記録するのに使うこともできます。対話の最後の振り返りに使うこともできるでしょう。

(7) 三色カードの使い方

二〇一五~一六年度に活動していた立教大学の哲学対話サークル St. Paul's Agora で使用されていた対話のツールです。挙手の代わりにカードを挙げます。三色のカードにはそれぞれ違った意味があります。一つ目は、対話全体に関わる質問、流れがわからなくなったり困ったりしたときに挙げるカードで、ファシリテーターはそのカードを挙げている人を優先して指名します。他に、直前の話題に対する発言を示すカード、新しい話題を提示したり、少し前の話題への発言を示すカードがあります。

元々は黄・赤・緑で区別されたカードですが、誰にでも区別しやすい色やマーク等に変更して使ってもよいでしょう。

（8）哲学対話の紹介動画

無料で公開されている動画の中には、哲学対話の導入や説明に使える動画がいくつかあります。代表的なものは以下のものです。

「子どものための哲学」短いバージョン　https://www.youtube.com/watch?v=0b222t_8P34

「哲学カフェ」紹介動画　短いバージョン　https://www.youtube.com/watch?v=eWJUwXO5-Og

（9）飲み物

哲学対話をする際に飲み物があると良い場合があります。単純に、喋ると喉が乾くということもありますが、それ以外にも、議論が停滞した時にホッと一息、話す内容を考えながら、一息、自分が喋りすぎていないか悩みながら、一息、といった形で、間をとったりゆっくりと考えたりする助けになってくれます。飲み物があれば、多少沈黙していても大丈夫ですし、学校であれば、普段の授業との違いを強調できるといった利点もあります。

（10）黒板

学校における代表的な教具です。問いを決める時には、黒板に書いて投票したり、言葉だけでは伝わりづらいイメージや、ベン図などを共有したりすることにも使えます。また、議論のなかででてきた論点を書き出して整理をすることもできます。ただ、あまり板書をし過ぎると、黒板ばかりに目がいき、話している人や対話自体に集中できなくなる場合もありますので、注意が必要です（第３章４節を参照してください）。

（11）p4cジャーナル（振り返りシート、ワークシート）＆クリップボード

授業で行ったさまざまな哲学にかかわる活動を記録しておくためのファイルです。たとえば、振り返りシートは、議論の最後に書いてもらうことで、対話中には話されなかった意見を拾うことができます。大福帳として教員からコメント等を返せば、議論に対するやる気を引き出すこともできるでしょう。また、授業の目的に応じて、議論の記録シートやマインドマップ等を蓄積することもできます。他にも、付箋に書いて、その日の議論のなかでいい発言や働きをした人に渡すといった活動をすることで他者評価をすることができます。

ファイルとして蓄積することで、自分の議論に対する関わりがどのように変化したかを子どもたち自身が確認することができますし、数値として自己評価をしてもらえれば、客観的にそれを示すこともできます。シートはさまざまに工夫することができますので、状況に応じて様々に工夫をしてみてください。（次のサイトが参考になります。http://p4c-japan.com/about_tool_journal/）

(12) 机、椅子

教室には当たり前にある机や椅子ですが、その配置の仕方、つまり、議論をする場のセッティングの違いは議論の内容にも大きく影響します。たとえば、床で座って輪になる場合だと、身体が動きやすいので活発になります。逆に、机、椅子で輪になる場合はやや落ち着くため、活発すぎるクラスには適しているかもしれません。小さい机がついた椅子で輪になれば、書き物がしやすいため、対話中に何か書くことで整理をしたり、大きめの紙に問いや意見を書いてもらい意思表示したりといった様々なことができます。

(13) マジックワード

コミュニティボールを持っていなくても話せる言葉をいくつか決めておくと、議論のルールをさらに明示できます。たとえば、ハワイで行われているp4cでは、次のような言葉があります。IDUS（I don't understand）＝よくわからない、SPLAT（Speak a little louder, please）＝もう少し大きな声で、POPAAT（Please one person at a time）＝一度に話せるのは一人だけ。

日本語であれば、「わん」＝わかりません、とするなど、色々工夫できます。

⒁ サイレント・ダイアローグ

口頭で話すのではなく、一枚の紙に、様々な人が自分の意見を書き、回していく対話の形式です（第2章6節を参照してください）。大きめの紙を回してそこに意見を様々な人に書いてもらうのが基本ですが、もう少し形式を定めることもできます。たとえば、最初の人は問いだけを出す、二人目はそれに答える。三人目は最初の意見に反論する、といった役割を決めておくのです。こうすると初めての人にも書きやすいものになりますし、完全に自由だと、同じような意見が並んでしまう可能性もあります。

いきなり話すのには抵抗がある学校での導入授業や大人数授業でも議論を行うことができます。また、書くことが得意な人たちが対象であれば、様々な意見が出てきて議論が深まっていく様子を見ることができるため、議論に対するハードルを下げるのに使うことができます。ただ、小学校低学年等の小さな子には口頭での議論の方が簡単でしょう。使う年齢や場に注意が必要です。

(15) おもちゃのビンゴゲーム機・はてなボックスなど

授業のなかで問いを選ぶ際に使う道具です。多数決等で選んでも良いのですが、多様な問いを議論するためには、ランダムにしたほうが良い場合もあるでしょう。あらかじめ子どもたちに問いを書かせておいて、ビンゴゲーム機で出た番号の問いを選んだり、子どもたちに書かせた問いのカードをはてなボックスに入れた上で引き抜いて抽選したりすることができます。こうすることで、子どもたち全員の問いから公平にいくつかの問いを選ぶことができます。

はてなボックスには、授業の中だけでなく、普段の生活のなかで疑問や問いが浮かんだら、それを書いて入れておいて、授業の際にそこから問いを選ぶといった使い方もできます。

(16) トランプ

工夫次第で様々なことに使えるトランプですが、哲学対話でも、たとえば、グループワークのミニグループを作るときに使用することができます。ランダムのため文句が言いづらく、また、毎回ランダムでグループを変えられるので、クラスの中の多様な生徒同士で対話することができます。また、グループワークの役割（司会係や記録係など）を決めたり、その場だけで使用する識別番号を割り振ったりするのにも使用できます。短時間で決められるため、授業時間が少ない学校等ではスムーズに進行するのに役立ちます。

(17) タイマー

通常どおり、グループワークの時間や、サイレント・ダイアローグでの時間を測ることができます。それ以外にも、対話が停滞して周りの人との意見交換を促したいときや、一人でゆっくり考える時間（哲学者タイム）を取りたいときなどに、一定の時間をとる際に使うことができます。タブレット等で時間を全員に示せるとスムーズに進行することができます。

7 対話で困ったとき

1 ファシリテーターの困りごと

以下では、哲学対話を実施しているときに、しばしば生じる困りごとと、それにどう対処するのかのヒントをあげてみました。これらはすべて、執筆者たちの経験則に過ぎず、絶対の対処法だというわけではありません。困りごとは、ケースバイケースで、対処の仕方は一つひとつ違うというべきでしょう。あくまで参考として見ていただければよいかと思います。

Case 1：誰も話してくれない

哲学対話を始めてみたものの、誰も発言せず場がシーンとしている。よくあることではありますが、実はいろいろな原因がありそうです。たとえば、参加者が対話そのものに興味がなく、どうでもよいと感じているから。もしくは、みんな緊張しているから。話したり考えたりすることが「ダサい」ことだと思われているから。何の時間かよくわかっていないから。考えがまとまっていないから。様々です。ですから、まずはなぜ、シーンとしているのかを考えてみることが必要です。

緊張をほぐすという点では、最初にあまり堅苦しくないような自己紹介をしてみるのが一つのやり方です。職業や社会的立場はあえて話さず、自分のことを楽しく紹介できる趣味の話や最近の面白いエピソードを短く話してもらうのもいいでしょう。ファシリテーターは、その場の空気をなごませるような冗談や笑い話を交えてもいいでしょう。ユーモアは哲学対話をするときにはとても重要な雰囲気作りに役立ちます。

哲学対話ではシーンとしていることは別に悪いことではありません。というのも、じっと考えたり、まずは自分の意見を頭の中でまとめていることが多くあるからです。それよりも、参加者が沈黙の重圧に耐えきれず、焦ったり急いだりして意見をつなげようとしてしまうことの方が、哲学対話のよさを損ねてしまいます。「沈黙してもかまいません」「沈黙の時間を大切にしましょう」などと声掛けをしてみてもいいかもしれません。

哲学対話の場合、話すことだけが目的ではありません。参加者一人ひとりが考えることを一つの目的にしているので、沈黙の時間ではなく、思考の時間ととらえれば、それはむしろ必要な時間だということになります。そんな哲学対話の意味自体に言及することで、参加者にとって沈黙の時間が急に意義ある時間に変わることがあります。こうした促しは、参加者の積極的な思考への誘いにもなるので一石二鳥です。

問いを投げかけているファシリテーター自身が、答えの例を挙げるのも有効です。たとえば、「○○はどうでしょう」というふうに例を挙げると、発言がしやすくなります。その際、少しレベルを下げた例を挙げるのがコツです。あまりハイレベルな例が出ると、逆に答えにくくなりますから。あくまで発言の呼び水であることを意識してください。

本当に困ったら、話したくても手を挙げるほどの積極性はないというような人に振ってみるのも手です。異見を持っていることが流れから確実にわかる、あるいはその人との付き合いが長くて考えがわかっているような場合、あえて助け舟を求めると発言してくれることがあるものです。本人も手を挙げるほどではないと思ってはいるものの、誰も何も言わないなら発言してもいいと感じていることがあるからです。

Case2：話す人が偏ってしまう

特定の人たちだけが盛り上がってしまう。ある人が長く一人でしゃべり続けている。哲学対話は時に「黙っていてもいい」というルールを採ることもありますが、やはり多くの人に発言してもらいたいものです。あまりにも話す人が偏ると、議論の方向も内容も偏ってしまいますし、独断的な意見を聞いて白けてしまう人もいます。偏った人たちで議論が進むと、ついてこられない人が出るだけではなく、結局は意見が未検討なままに進んだり、議論が深まらないということになってしまったりします。その場にいるできるだけ多くの人から多様な意見は出される方がいいのです。

そういう時は、道具を使って、話していない人、話したそうにしている人に、話す機会を持たせることもできます。たとえば、子どもの哲学でよく使われるコミュニティボールは発言を均等化したり、まだ話していない人に手渡したりすると話しやすくなります。

ファシリテーターが、「ほかの人の意見もぜひ聞いてみたいんですが」とか、「まだ発言していない人の意見を聞いてみましょう」などと言うと、よくしゃべる人と、まだ話していない人の両方に効果があります。よくしゃべる人には遠慮していただく効果がありますし、まだ話していない人には、話すきっかけを作ってあげるという効果があります。

ある意見に、賛成か反対かで全員に手を上げてもらって、それぞれ順番に理由を聞いてみるのも発言を均等化します。

Ｃａｓｅ３：哲学的になっているか不安

何が哲学なのか、ということについては様々な考えがあり、なかなか一言で表すのは難しそうです。このような困りごとが出るときは、たいてい哲学対話が単なる自分語りに終始したり、悩みごとを披露するだけの会になったりしていることが多いようです。哲学対話は、簡単に答えの出ない問いをゆっくりみんなで考えるものです。最終的な答えや正解が出なくとも、よりよい答えに向かってみんなでじっくり対話をします。

対話が哲学的になる、深まるためにもっとも大切なことは、自分の発言と他の人の発言を関連付けることです。前の人の意見への質問なのか、賛成と補足の発言なのか、反論なのか、話題の方向性を変えたいのか、いずれにせよ、前の意見との関連性をつけながら議論していくことで話が哲学的に深まっていきます。

自分語りになってしまったら、それをみんなと共有できる問いに変えることが一つ考えられます。たとえば、ある参加者が失恋した話をしていたならば、その人の人生相談になるのではなく「どこからが失恋なのか」「なぜ嫉妬をするのか」「なぜ人はそもそも恋をするのか」など一般化した問いに変えることができそうです。そのためには、「なぜ」という問いをときどき出すとよいでしょう。「なぜ」という問いは前提を問うことであり、自ずと話しが多くの人の参加しやすい根本的な話題になっていきます。

また、悩みごとが対話の中で多く出ているからといって、即座に哲学的ではないと断定することもできません。言葉にならなかった悩み事を、聞いてくれる、問いかけてくれる相手がいることで言葉にすることができます。他の人の意見や疑問を聞くことによって、異なる考えに気付き、自分の考えを相対化したりすることができます。悩み事を言葉にすることで、自分の存在と悩み事を切り離し、一歩引いて考えることができるようになったりします。これらも十分に哲学的な思考だといえます。

哲学とはこういうものだという一義的な定義はありません。哲学の意味が多義的である以上、ファシリテーターはあまり厳密な哲学の定義になど気にせず、自信をもって進めればいいと思います。普段じっくり考えるようなことがないテーマについて、日常の必要性を超えて議論している時点で、十分、哲学的なことです。もっというと、誰かが哲学になってないと言ったとしても、堂々と「これも哲学なんです」と言えばいいのです。この議論が哲学的かどうかという問い自体が哲学対話になると思います。

Case4：参加者が泣いてしまった

泣いている当事者がそれで構わないと思っているのならば、そのままでよいですし、自分の考えを話すことで悩みごとに向き合うということができているならば、むしろそれはよいことと言えるかもしれません。しかし、誰かの発言に対して傷ついて泣いてしまったり、緊張などのせいで涙を流してしまっている場合、場が安全ではなくなっている可能性が高いと考えられます。

悪意で人を傷つける発言をする人には、ファシリテーターはたしなめる必要があるでしょう。しかし、議論が盛り上がる中で、ふいに口をついて出た言葉が誰かを傷つけたりした場合や、他の人に対してであれば何の問題もない発言が特定の人を傷つけたりします。その場合の対処は、こうすればいいという絶対の方法はありませんが、まずファシリテーターは冷静な態度を取り続け、感情的になった人には少し気分を和らげるように時間を取るのがいいでしょう。

ファシリテーションの経験のある人ほど、何度もそういう場面に遭遇します。感情的になった人のためにも、また他の参加者のためにも、何か一言フォローは必要です。たとえば、シチュエーションにもよりますが、場をなごませるためには、「私、そんな感動的なこと言いました?」と言うとかです。軽いユーモアは、自分を相対化するので、感情の中に埋没することを防ぎます。あるいは、その人が悲しんでいる場合には、「落ち着いたらお話ししてくださいね」などと言うと、なんとか対話が継続できます。

Case5：問いが決まらない

参加者から問いを出してもらってから始めたいのに、誰も挙手してくれない。問いを提示してくれない。不安になることもありますが、問いを出すという時間も、哲学にとっては大切な時間です。はやく対話を始めたいと焦るかもしれませんが、自分の問いとしっかり向き合い、それを提示してみるという時間をしっかり取ること、そしてそれに時間がかかってしまうことは問題ではありません。

もし時間をかけても問いが出ない場合、「最近悩んでいること、不満に思っていることはありますか」という聞き方にすると、意外に多く出てくることがあります。たとえば「恋人が約束をすぐ破る」という日常的な経験を基にして「なぜ約束は守らなければならないのか」などの一般的な問いを考えてみても面白そうです。

参加者に問いを出してもらいたい時は、やはり自分が例となる問いをいくつか出してみて、促すのが一番でしょう。その際、抽象的な問いは難しいので、具体的な問いを挙げるのがコツです。

Case6：参加者から差別的な発言や人を傷つける言葉が出てしまった

これは対話の中で最も避けなければならないことの一つです。人格の尊重は、哲学対話の前提となるもっとも基本的なルールです。このことは対話を始める最初に確認しておくべきです。しかし、もしそうした発言が出てしまった場合はどうすればいいのでしょうか。

そうした発言が出るには、いくつかの場合があります。第一に、口が滑ったり、うかつだったりする場合です。人には、それぞれ過去に使ってきた言い回しや言葉遣いがあります。かつては差別的な意味がなく使われていても、現在では差別とみなされる表現があります。本人も発言後にそれに気づいた場合には、ファシリテーターは軽く指摘をして、それ以上厳しい態度を取るべきではないでしょう。

第二に、発言者が差別とは気づかずに、あるいは、人を害する意図なしに、そうした発言が出る場合があります。そうした場合には、頭ごなしにそれを押さえつけたりしても発言者は納得しないかもしれません。悪意で発した言葉ではないからです。ファシリテーターは、まず発言者にそれが人を傷つけたり、差別に当たったりする可能性があることを説明する必要があります。他の参加者に説明してもらうこともよいかもしれません。

しかし、それでも納得されない場合には、差別的な発言に対して「どうしてそう思ったのか」「なぜそう言えそうなのか」など、あえて質問を投げてみるというのも一つの手かもしれません。ファシリテーターだから介入するのではなく、同じ輪の中で探求する参加者として、その発言について意見を言ったり、問いを投げかけたりすることもできそうです。場合によっては、ただ間違った知識をもっているに過ぎなかったり、発言者が考え直すきっかけになったりと、様々な可能性に開けることがあります。

第三の場合として、あえて悪意で人を傷つけたり、差別的な発言をする人がいます。その場に、差別発言の対象者や関係者がいたりすると、感情的な対立が生じるかもしれませんし、少なくとも気分を害する人が出てきます。こういう場合は、まず険悪なムードをなんとかするのがファシリテーターの役目です。参加者同士で口論が始まるようなことがないようにしなければなりません。その後スムーズに対話が進むように、一言「今の発言はまずいんじゃないですか」というようなことを言って、やんわりと注意を促す必要があります。

理屈の通じない人が他の参加者に迷惑をかけるということもあります。さすがにこの場合は注意しますが、なにぶん理屈が通じないのでいうことを聞いてもらえません。かといって、警察を呼ぶわけにもいかず、困ったものです。公共的な対話の場ではこういうことも覚悟しておかなければなりません。あまりにもひどい場合は、退出してもらうなど主催者として毅然とした態度をとる必要があるでしょう。

Case7：デリケートな問いがテーマに決まった

多くの参加者はあることについて考えたがっているが、その問いに深刻に関係している当事者がいるかもしれない場合。たとえば「家族とは何か」という問いが決まったが、最近クラスに、家族が亡くなっていて、そうした話題にナーバスな感情を抱いている生徒がいるような時。または、差別の問題について考えるときに、その当事者が輪の中にいるかもしれないような時があります。とはいえ、参加者すべての事情を知ることはできないので、あらゆる問いが常に誰かにとってデリケートな問題であることを前提に、進行することが求められます。そのことを意識するだけでも、質問の仕方などが変わってくるはずです。

問いを決めるときは多数決を採ることが多いため、少数の人の「絶対に考えたくない」という考えが無視されることはあり得ます。ですから、この問いで考えられそうか、ということは参加者にあらかじめ確認をとることが必要な場合もあります。もしファシリテーターのあなたが、この問いについて考えることに不安を感じている場合、それを言えるようならば、そう伝えてもいいかもしれません。

Case8：話が拡散しすぎていてまとめきれない

参加者は話のプロでもなければ、合意するつもりで来ているわけでもありません。そこで、ファシリテーターが、意識して話を収束させていく必要があるのです。その際、ある程度ファシリテーターが本質だと思うことに絞っていくよりほかないと思います。ただ、それを強引にやると参加者が違和感を抱きますので、「今AとBとCと……というテーマが出ていますが」というふうに、いったん整理した後、なぜそのうちの一つに絞るのか説得的に説明する必要があります。

話が拡散している場合には、話の展開はきっと早すぎるのです。一つひとつの意見をしっかりと聞いて、それを吟味していくようにすれば、話が拡散しすぎることはありません。また、発言をするときには、前の意見とどのように関係しているかを説明してもらい、「なんとなくつながっている」と参加者が感じている場合には、どのようにつながっているかを明らかにしてみましょう。

Case9：どうやって終わればいいのか分からない

哲学対話は、はっきりとした成果物や正解が出るわけではありません。ですから、時間が来れば終わります。議論の流れを確認することは大切ですが、それを一つに結論付ける必要は必ずしもありません。時間で終了するのが最適な終了かもしれません。

哲学対話の目的は、あくまで自分が考える機会をもつことです。その意味では、時間は関係ありません。したがって、ぜひこの対話の時間をこれからも考え続けるためのきっかけにしてくださいと言えば、皆納得して終わることができます。詳しくは第3章3節を参照して下さい。

Case10：人数が多すぎる

対話の適正人数は、五人から二〇人くらいまでで、一〇人前後がやりやすいとよく言われます。少なすぎても、意見に多様性が出ませんし、多すぎても発言の機会が限られたり、探究に対する熱意を共有することが難しくなります。また、子どもの場合には年齢によって適正な人数は変わってきます。

人数は多いままに全体で議論することを試してみてもいいかもしれませんが、以下のような方法があります。

・金魚鉢形式：第2章6節参照
・サイレント・ダイアローグ：第2章6節参照

または、対話形式ではなく、ワークショップにしてみても面白いかもしれません。

・シンポジウム形式：壇上に何人かひとをあげて、ディスカッションしてもらい、それからフロアと質疑します。

多くの人に話してほしければ、テーマや問いが決まったら、隣同士で二～四名のグループを作って短時間話してもらいます。すると、それぞれの参加者がある程度話せますし、その次に二つのグループを一つにして同じように話し合いをしてもらうといいでしょう。人数が多くなると発言者が偏る傾向があります。そこで、順番に話してもらう、コミュニティボールを使うなどして、できるだけ多くの人が発言するようにしてもいいでしょう。そうして、最後に、それぞれのグループでどういう発言があったか各グループの代表者に説明をしてもらい、そこに他の人たちから質疑を受けるようにすると議論を共有できるでしょう。

どうしても多くの人数で一斉に対話する必要があるときは、それでも個々の参加者が意義を感じるように、事前に次のように一言断っておくのがいいと思います。「哲学対話は人の意見を聞いて自分自身が考える場ですから、聞いて考えるだけでも意義があります」と。

Case11：参加者から「こんなことしたくない」と言われてしまった

なぜそう思われるのかを聞いてみましょう。哲学対話は内容と同時に、その手続に本質があります。参加者が納得した上で、しっかり議論することが大切です。もし、手続きや話す内容に疑義が生じてしまったら、それを解消することに時間を使っても構いません。

たとえば、ルールに関して異論があるような場合は、まず理由を尋ねてみます。もしそれが合理的な理由で、全体のルールを変更する必要があれば、そのようにすればいいと思います。逆にその人だけ例外的な扱いをして済むような場合も同じです。そうでない場合は、「同じルールでやらないと対話が成り立たないので」と説明するよりほかありません。テーマに異論がある場合は、その人だけ例外とするわけにもいかないのでどうしようもないですが、答えられる範囲で理由を聞いてみたうえで、そういうことも考えてみる価値がありますよ、などと説得を試みてもいいかもしれません。

2　参加しているときの困りごと

Case1：うまく話せない

自分の頭の中では確かに考えがあるのに、それをうまい言葉にすることができず、十分に伝えられない。緊張してしまって人前で話せない。まとまりのないことをだらだらしゃべってしまう。どのような哲学対話の場でも、こういうふうに感じている人がいるはずです。しかしそれは誰でもそうです。むしろ、自分がよい発言をしようとは思わずに、自分が口火になって議論が始まればいい、くらいに考えてください。

哲学対話はスピーチではないので、うまく話せなくて当たり前です。しかも考えながら話すわけですから、うまく言葉が出てこないときもあります。みんなそうなのだと思えば、少しは緊張がやわらぐのではないでしょうか。

まとまりのないことをだらだらとしゃべってしまうとか、同じことを繰り返してしまう人は、一番言いたいことや結論を先に言ってしまうのも手です。そのうえで、「なぜかと言うと」

というふうに理由を付け加えると、何が言いたいのかわからなくなるという状況を避けることができます。

Case2：みんなが自分の考えを聞いてくれるか不安

自分の意見を遮られてしまったり、否定されたり、失笑されたりしたらどうしよう、という感情はおそらく誰にでもあるはずです。まず参加者がこうした不安を持たないように、ファシリテーターが最初に、どのような発言でも人格を否定するようなものでないかぎり誰もが自由に話すことができ、誰もが注意深く聞くことを指示する必要があります。ファシリテーターがどの発言でもしっかりと聞く態度を保っていれば、自ずとその場がそういう雰囲気になっていくことでしょう。

自分の意見を聞いてくれない、無視される、笑われるということと、自分の意見に反対意見が出る、ときに鋭い質問が出るということとは全く異なることです。スポーツで、相手から嘲笑されて試合を拒否されることと、相手が真剣に挑んでくることとは全く別、いえ、正反対の態度であることと同じです。前者の態度に対しては、ファシリテーターは注意しなければなりませんが、後者の態度に対しては、発言者は素直に受け止める必要があります。

自分の意見が批判されることを過度に恐れずに、言いたかったことを率直に自分の考えを言う勇気を持つことが哲学対話の醍醐味でもあります。

もし、自分の意見を批判されても、自分の考えを発展させるいい機会だと思っておけば、少しは不安が解消されると思います。あなたは自分の意見を生み出した人間であって、意見そのものではありません。それを変えることも、取り下げることも、発展させることもできるのが人間です。発言を作品として自分から切り離しましょう。慣れればそう思うようになるでしょう。

哲学対話では、参加者の意見がないと成立しません。ですから、どんな発言でも、対話に貢献しているんだ、という自信を持って話せばいいのです。

Case3：話の流れが難しくてついていけない

対話中に、少しぼうっとしていた、または考え事をしていて、話の流れについていけなくなってしまうことってあります。他にも、話自体が難解だったり、言葉が難しかったり、何よりも考えている途中で次の話に飛んでいたりで、理解が追い付かないこともあるでしょう。

そういう時は、「わかりません」とか、「話がちょっと早いのですが」と発言してみましょう。これはまず、ファシリテーターからするべき発言です。対話の中での仕掛けも可能ですが、ファシリテーター自身が「わかりません」と誰よりも言い続けることも、対話を優れたものにする工夫の一つです。

哲学対話は、一人や特定の知識のある人、頭のよい人だけで行うものではなく、みんなで行うものです。年齢が若い方もいるでしょう。あなたがわからなくて参加できていないとき、それはもう哲学対話とは呼べません。勇気を出して「わかりません」「もう一度言ってください」と言ってみることも必要です。

完全にはわからなくても、自分なりに理解したことを、「今の話はこういうことですか」というかたちで確認してみるのもいいと思います。みんながわかっていなさそうな時は、「なんだか話が難しくなっているんですけど」と切り出して、理解できるレベルにもって行くこともできます。このような発言をすると大概の場合には発言者が、発言を言い換えてやさしく説明してくれるものです。

もしそれでも伝えづらい場合には、マジックワード（第3章6節参照）を使うなどの方法もあります。

Case4：話したくないテーマが決まってしまった、話の流れがそっちに行ってしまった

哲学対話とはなるべく多様な参加者が話し合うことで、それぞれの思考を促す試みです。ですから、できるだけ全員が参加できるテーマや問いになるように、ファシリテーターは工夫す

べきですし、どうしても話したくない人がいる場合には、テーマや問いを変えたり、より一般的にしたりするといいでしょう。

しかし、話したくないテーマになってしまった場合、聴くことに徹してもいいと思います。自分が考えることが大事なので、発言しないと参加する意味がないということにはならないと思います。話したくない話題に流れていったような場合、対話の中でうまく機会をとらえて発言し、話せる話題に持って行くことも可能です。

Case5：話しすぎてしまう

ファシリテーターをやる場合に少し困ってしまう人が、場を独占して話し続けようとする人です。子どもの哲学でも、ひとりで話を続けすぎてしまう子どもがかならずいるものです。

日頃話しすぎてしまう人は、予め人の話をよく聴く覚悟で参加するといいでしょう。何人かが話したら手を挙げるというふうに、発言回数を意識するのもいいかもしれません。

どうしても話が長くなる人は、結論から述べる、そして理由は一つに絞るなどの訓練をしておくといいかもしれません。

Ｃａｓｅ６：緊張して話すことができない

緊張して話せない人は、始まる前に周りの人と雑談をして、仲良くなっておくといいと思います。まったく知らない人の前で話すのと、少しでもお互いに知っている人の前で話すのでは緊張する度合いが異なりますから。

ですがそもそも、うまく話すことが目的ではありません。どんなにまとまっていない言葉でも、あなたの意見は探究の場に貢献する貴重な考えです。また、話さなくても聞く、考えるということがしっかりできていれば、十分哲学的なのではないでしょうか。

Ｃａｓｅ７：自分が話しても意味がないと感じてしまう

そう思う方は、逆にいえば、普段から自分の立場からのみで相手の発言を聞いているのではないでしょうか。それは少し視野が狭くなっていると思います。相手の話を聞いて、その立場に立っていろいろと考えてみると、自分の思考の幅が広がります。哲学対話というのは、そうしていろいろな考えや立場の可能性を探る場所です。

あなたの意見も、他の人にとっては貴重な他者との出会いです。すべての参加者の意見は、対話を構成する一部になりますから、意味のない発言などありません。たとえそれが自分にとって当たり前で、言うほどのことではないと思っていても、他人にはそうでないことがたくさんあります。たとえ、他の人と同じ意見であろうと、現にそう考えている人がいるということがわかることは他の人にとって貴重な機会です。ぜひ自信を持って発言してください。

Case8：結局人それぞれじゃないか、と思ってしまう

わたしたちの考えは人それぞれです。それは当たり前で、尊重されなければならないことでしょう。ですが、それは哲学対話ではあくまでスタート地点であって、ゴールではありません。わたしたちは人それぞれの考えを持っていますが、そこから何か共有できることはないか、それぞれだとしたらどこが違うのか、問いにできることはないか、と共同で探究を深めていきます。これが哲学対話の楽しみでもあります。

そしてそもそも、本当に、わたしたちは「結局、人それぞれ」なのでしょうか。そう思うのならば、ぜひそのこと自体を問いにして、哲学してみることも面白そうです。

でも、もしかしてそう考えたあなたは、他の人の意見に、あるいは他の人の考え方に反発を抱いたのではないでしょうか。結局考え方は人それぞれであることを確認することにも意味があると思います。それを確認することではじめて、「では、なぜ人それぞれになるのか？」とか、「それでも同じような考えを持つ人がいるのはなぜか」とか、「その中でどうやって一緒にやっていけばいいのか」といった議論へと発展させていくことができるからです。

第4章 知っておきたい哲学のテーマの概説

1 人生と生き方

1 はじめに——生きるとはどういうことか

「人生って何だろう」「どう生きればいいんだろう」。人は誰しも、どこかの時点でこうした疑問を持つものです。早い人なら子どものときに。あるいは人生の転換期に。その意味では、死ぬまで人間についてまわる問いなのかもしれません。

こうした問いを考えるのが哲学の使命なのです。哲学とは人間が抱える苦悩への問いから始まったといっても過言ではありません。この世に存在せざるを得ない人間が、自然や世界、そして運命といったとてつもない大きな力を前にして、自分はどうすればいいのかと悩むのは当然です。

そうした苦しみ、不満、恐れ、不安を乗り越えてはじめて、人は幸せになることができるのでしょう。人間である限り、誰もが同じ苦悩を抱えていて、同じように幸せになりたいのです。人生の意味、どう生きればいいかという問いは、等しく万人にのしかかっているわけです。

歴史上の哲学者たちによる英知が普遍的なのは、それが万人に当てはまるものとして磨かれてきたからです。長い時間をかけて。ここでは、そんな先哲による英知を参照しながら、人生の意味、そしてどう生きればいいのかについて、考えていきたいと思います。

もちろん、過去の哲学者たちの考えが普遍的だといっても、そのまま私たち一人ひとりに当てはまるわけではありません。人によっては正反対のことを言っていることもあります。だから私たちがやるべきなのは、何がどう自分に当てはまるのか参考にしつつ、自分にとってどうなのか吟味することです。

過去の哲学者たちは、決して答えを押し付けているのではなく、私たちが考えるための問いを投げかけているのだと思ってもらえばいいでしょう。さあ、それでは始めましょう。

2 不満と不安を乗り越える

先ほど人生には不満や不安がつきものだと書きました。それはどうしようもない大きな力に翻弄されているからです。なんでも自分がコントロールできるなら、別に不満を持つことも、不安がる必要もないでしょう。

特に近代から現代にかけて、人間はますますそうした無力感を味わわざるを得なくなっています。なぜなら、産業革命が起こり、あたかも人間は大きな機械のうちの歯車であるかのような感覚にとらわれ始めたからです。それに輪をかけて二度の世界大戦が起こります。物質的なものだけでなく、価値観など何もかもが破壊された後、人はどうして生きていけばいいのか。そんな問いが生じてくるのは当然です。

そこで台頭してきたのが実存主義だったといっていいでしょう。実存主義とは、ごく簡略化していうなら、自分で人生を切り開くという態度だと思います。そのはしりはデンマークの哲学者セーレン・キルケゴール（Søren Kierkegaard）だといわれています。

キルケゴールは、まさに不安や絶望に直面し、それと向き合った結果、結局は自分の足で立ち上がるしかないと気づきます。真理は自分が決めるものなのだと。これを主体的真理といいます。もっとも彼の場合、キリスト教が背景にあるので、自分の足で立ち上がる際に神の力を必要とします。

その点では、まだ本当の意味で、自分で人生を切り開く思想になってはいないといえます。これに対して、「神は死んだ」と高らかに宣言したドイツの哲学者フリードリッヒ・ニーチェ（Friedrich Nietzsche）は、頼るべきものがない状態の中で、あえて自分自身が超人となって困難を乗り越えていく思想を唱えました。いわゆる超人思想です。

一難去ってまた一難といいますが、人生というのは、困難を乗り越えたと思ったら、また新たな困難がやってくる過程の繰り返しなのです。ニーチェはこれを永遠回帰と呼んでいます。したがって、そんな中でも前向きに生きていくためには、永遠回帰を受け入れること、言い換えると生の全面的な肯定が求められるのです。

これは極めて実存主義的な態度といえますが、ニーチェ自身が自分の思想を実存主義だとは呼んでいません。その点で、同じく実存主義的態度と思われるにもかかわらず、本人がそうは認めていないものとして、ドイツの哲学者マルティン・ハイデガー（Martin Heidegger）の思想があります。

ハイデガーは、ただ漫然と日常を生きるようなあり方を非本来的な生き方だとして非難し、もっと懸命に生きることを説きました。それこそが本来的な生き方だというのです。それは今ここを生きるということにほかなりません。だから人間のことを現存在（ダーザイン）と呼びかえるのです。今ここを生きる存在という意味です。

そのような生き方ができるようになるためには、人は死を意識する必要があります。誰にでも等しく訪れる死という人生の終わりを、先駆的に覚悟して生きる。そうしてはじめて、私たちは不安を乗り越え、強く生きていくことができるということです。

こうした実存主義的な態度を含んだ思想に対して、もっと明確な形で実存主義を標榜したのが、フランスの哲学者ジャン＝ポール・サルトル（Jean-Paul Sartre）です。したがって、実存主義というとサルトルのそれを指すことが多いです。

サルトルによると、人間とはすでにある何らかの本質に支配された存在では決してなく、自分自身で切り開いていくべき実存的存在にほかならないということになります。彼はこれを「実存は本質に先立つ」と表現しました。実存というのは存在のことで、本質というのは予め決められた運命みたいなものです。

サルトルはそのことを、ペーパー・ナイフを例に説明しています。ペーパー・ナイフは、決まった方法でつくられる物体であると同時に、一定の用途をもっています。だからこの場合、ペーパー・ナイフの本質は実存に先立っているのです。存在が限定されているといってもいいでしょう。

したがって、ペーパー・ナイフのように、つくり方や用途の予め決まった存在は、逆に本質が実存に先立っているのです。つまり運命が決まっているわけです。しかし、人間の場合は、「実存が本質に先立つ」のです。人間は、最初は何でもない存在ですが、後になってはじめて人間になります。しかも自らつくったところのものになるといいます。つまり、運命は変えられるということです。

サルトルはこの状態を「人間は自由の刑に処せられている」とも表現しています。たしかに、自分で自分をつくっていくということは、無数の選択肢の中から刻一刻選びながら人生を形づくっていくことを意味します。それはすごくしんどいことでもあります。だから自由の刑なのです。

でも、だからといってそこから逃れることはできません。ならば行動するしかないのです。そこでサルトルは、希望は行動の中にしかないとして、自らも行動し続けました。自己実現するために、そして社会を変えるために。

そうした態度をアンガジュマンといいます。積極的かかわりといったような意味です。不満や不安があるとき、そこから目を背けて生きていくのか、それとも積極的にかかわって変えようとするのか。少なくとも人間の生き方にはその二つの種類があるといえそうです。

3 幸せに生きる

さて、不満や不安を乗り越えた先、「人はどう生きればいいのか?」おそらくそれこそが幸せに生きるということの意味なのだと思います。不満や不安がないからといって、必ずしもそれだけでいい人生であるとはいえません。人によってはそれで十分と考えるかもしれませんが、もっと多くのことを求める人もいるでしょう。

では、いったい「何をもって人は幸福ととらえるのか?」これはいわゆる幸福論と呼ばれる領域です。幸福については、古代ギリシア以来ずっと議論されてきました。幸福になりたいのは、いつの時代も同じなのです。

もっとも、その幸福の中身は、時代によって変わってきます。例えば古代ギリシアでは、人々はポリスと呼ばれる都市国家で生活をしていました。アリストテレスにいわせると、それは彼らにとって最高善、つまりもっとも素晴らしいものだったのです。したがって、ポリスの中で仲間を愛し、互いに中庸を目指して共同生活を営むこと自体が幸福（エウダイモニア）につながっていました。

ところが、アレクサンダー大王の遠征によってポリスが崩壊すると、幸福感も変化を余儀なくされます。いわゆるヘレニズム期の到来です。哲学者たちもまた幸福の再定義を迫られました。そんな中から出てきたのが、エピクロス派の快楽主義です。

よく誤解されるのですが、エピクロス（Epikouros）のいう快楽は、決して放蕩者の官能的快楽ではありません。そうではなくて、むしろ肉体において苦しまないことと、魂において混濁しないことを指しているのです。つまり、心の平静を意味するアタラクシアこそが理想の状態だとしたのです。

あるいは、同じく新しい幸福感を模索する中で、一見エピクロス派とは対照的とも思われる思想も出てきます。ストア派です。こちらはゼノン（Zeno）によって創設されたのですが、ローマ時代のマルクス・アウレリウス・アントニヌス（Marcus Aurelius Antoninus）に至るまで、長く存続しました。

彼らの思想の特徴は、世間的な価値を蔑視し、自然にしたがって生きることを勧める点にあります。ストア派にとっての究極の価値は大宇宙の自然に従って生きることだというのです。問題は、人間が自然にさからう能力をもっている点です。これが幸不幸の分かれ目となります。自然にしたがった者は幸福になり、さからった者は不幸になるというわけです。

よくストア派に由来する言葉としてストイックが挙げられますが、これは彼らが禁欲主義を旨としていたからです。欲を抑えることで、心の状態をアパテイア、つまり平穏に保とうとしたのです。アパテイアとは、情欲を意味するパトスがない状態をいいます。それこそが幸福な状態であると。

こうして見てみると、エピクロス派にせよストア派にせよ、結局は心が落ち着く状態を幸福ととらえている点で、あまり違いがないように思われます。心の平静こそ幸福であるというのは、ある種の普遍的な幸福感なのかもしれません。現に、東洋思想においても仏教の禅などはそうした境地を目指すものです。

特に仏教の場合は、ストア派の禁欲主義に似ているようにも思います。仏教の諦念は、決してあきらめることで不幸になるという話ではなくて、むしろそれによって精神的な充足を目指しているのですから。

その東洋思想を学び、西洋でも似たような幸福論を展開したのが、ドイツの哲学者アルトゥル・ショーペンハウアー（Arthur Schopenhauer）です。一般にショーペンハウアーは、ペシミズムの思想家だといわれます。なぜなら、彼は意志の否定を説いているからです。人間は万能ではないので、苦悩に悩まされる運命にあります。そんな苦悩から解放されるための道は、禁欲をおいてほかにないと考えたのです。

しかし世の中には、やはり何かをあきらめるのではなく、むしろ獲得することで幸福になりたいと考える人の方が多いのではないでしょうか。もちろん、獲得といっても決して物質的なものの獲得ではなく、精神的な充足の獲得です。そうした視点から幸福について論じている哲学がいくつかあります。

日本において三大幸福論と呼ばれているものがその典型です。フランスの哲学者アラン（Alain）、スイスの哲学者カール・ヒルティ（Carl Hilty）、イギリスの哲学者バートランド・ラッセル（Bertrand Russel）の幸福論のことです。いずれも幸福について書かれた哲学的エッセーで、世界的にベストセラーになっています。ただ、それぞれ少しずつ特徴があります。

まずフランスの哲学者アランの幸福論について。アランはプロポという形式のエッセーを新聞に投稿し続けました。それをまとめたのが『幸福論』です。それゆえに内容的にわかりやすいのと、ずば抜けた楽観主義が特徴です。アランの楽観主義は、気持ち次第で幸せになれると考えるところがポイントです。最後は運を天に任せるしかないと考えるのです。現状は変えられないけれども、気持ちをポジティブにすることで幸福になるという感じです。

次に、スイスの哲学者ヒルティの幸福論ですが、彼の場合もある意味で楽観主義的側面を垣間見ることができます。ヒルティはキリスト教を信仰しており、そうした立場から幸福を説いているのですが、それは運を天に任せることにほかならないからです。

これに対して、ラッセルのポジティブシンキングは、あくまで「自分で変えられる」ということを重視します。つまり、頭で考えて、行動するということです。ラッセルは、自分の運命を握っている神のような抽象的な存在は想定せず、自分の力で人生を切り拓いていこう、幸福を獲得していこうと提案しているのです。だから自分の内側ではなく、外側に目を向けるよう呼びかけるのです。悩んでいても幸せにはなれないと。

4 二一世紀という時代を生きる意味

たしかに、悩んでいるだけでは幸福にはなれません。そのために、人間には哲学する能力が与えられているのではないでしょうか。二一世紀という誰にとっても未知の時代を生きるためには、特にそうした能力が求められます。

ＡＩをはじめとしたテクノロジーが、日常を目まぐるしく激変させる時代、あるいは人生一〇〇〇年時代という未曽有の時代において、私たちはいかに生きていけばいいのか。今また哲学が求められています。

まずこのテクノロジー全盛の時代に、私たちはどう生きていけばいいのか考えたいと思います。一つはデータ至上主義で、人間が自分で物事を判断する機会がますます減ってきている問題が挙げられます。これはインターネットの影響もあるでしょう。考えなくても答えをすぐに検索できる時代ですから。

そうすると、かつてフランスの哲学者ブレーズ・パスカル（Blaise Pascal）がいったように、「考える葦」であるはずの人間が、ただの葦になってしまうわけです。つまり、葦というすぐにポキっと折れてしまうような植物と変わらなくなってしまうということです。

あるいは、単なるモノと同じで人間としての尊厳を失いかねません。かつてドイツの哲学者イマヌエル・カント（Immanuel Kant）は、モノや他の動物と人間との決定的な違いを指摘して、人間の尊厳を守らないといけないと主張しました。つまり、人間はモノや他の動物とは違って、自らを律することのできる存在だというのです。そして自らを律するには、当然思考しなければなりません。なぜ今それをしてはいけないのか、あるいは逆になぜ今それをしなければならないのかと。その点に尊厳の根拠があるというわけです。だから人間は決して道具のような手段にしてしまってはいけないのであって、常に目的でなければならないと主張したのです。テクノロジーがどれだけ発展しようと、人間はどこまでいっても目的であり続ける必要があるのです。

次に、身体に着目したいと思います。身体は、テクノロジーの時代にとっても、また人生一〇〇年時代にとっても重要な鍵を握る概念だといえます。なぜなら、ＡＩがいくら優れているとしても、彼らには身体はありません。たとえＡＩを搭載したアンドロイドが手足を持っているとしても、それはあくまで部品であって、人間のこの有機的な身体とは決定的に異なります。人間の身体とはそれほど特別な意味を持つものなのです。この点について明らかにしてくれているのが、フランスの哲学者モーリス・メルロ＝ポンティ（Maurice Merleau-Ponty）です。

メルロ＝ポンティは、初めて本格的に身体を哲学の主題に据えた人物といえます。彼によると、身体には自分にとっても自分であり自分でない二面性があって、だからこそその身体は意識とは別に他者との関係性を勝手に形成し、かつその延長線上にそもそも世界との関係性をもつくりあげるすごいものだということになるのです。

まず、身体とは自分のものであると同時に、自分の意識ではないという意味で、メルロ＝ポンティはこれを両義性と呼びました。つまり、二種類の異なるものが混ざっているという意味です。とりわけここでは主体と客体が混ざっているイメージです。あるいは自分と外部が混ざっているイメージといってもいいでしょう。

次に、間身体性についてです。私たちは通常、自分の意識によって人とコミュニケーションをとっていると思いがちです。ところが実は身体が勝手に距離をとって、意識より先にコミュニケーションをとっているということです。そういわれてみれば、たしかに私たちは話すより先に身体で距離感をはかりますよね。

さらに肉というのは、世界を構成する肉という意味です。つまり、世界は同じ一つのもので構成されているのです。それが肉です。私たちの意識も身体も、全部この肉の一部なのです。そうすると、世界の変化が身体を通じて意識に影響を及ぼすことになります。

したがって、テクノロジーがもたらす世界の激変は、身体を通じて私たちの意識に大きな影響を与えることになります。そうした視点でテクノロジーの発展を考えていく必要があるように思えてなりません。

また、先ほど身体は人生一〇〇年時代の生き方にも関係してくるといいましたが、それはイキイキと過ごすために身体が重要な役割を果たすという意味です。もちろん、身体だけでなく、精神面も含めて、この命長き時代をどう生きていくべきか、ということについては、しっかりと考察しておく必要があります。

言い換えると、人生一〇〇年時代というのは、特にいかに働き、いかに時間を過ごすかということが問われてくる時代にほかならないのです。そこで参考になるのが、アメリカの哲学者エリック・ホッファー（Eric Hoffer）の思想です。

ホッファーは、七歳のときに原因不明の失明をし、同時に母親を失います。その結果、まったく教育を受けずに子ども時代を過ごすことになります。ところが、一五歳の時に突然視力を回復するのです。彼は再び視力を失う不安から、貪るように本を読み始めました。

やがて一八歳のときに父親も失い、天涯孤独の身となったホッファーは、貧民街で日雇いとして生きていかざるを得なくなります。特に沖仲士（港湾労働者）として腰を落ち着けてからは、毎日働きながら夜や休日に本を読み、ものを書き綴っていきました。

そんな生活から彼が見出した理想は、港湾労働者として働きながら哲学をするという生き方でした。現にホッファーは、自由、閑暇、運動、収入のバランスが取れているのがいい仕事だといっています。彼の場合、港湾労働プラス哲学がそのバランスをもたらしていたのです。

ホッファーの労働哲学からわかるのは、自分がいいと思う生き方を貫くということだと思います。彼は大学教授の職にも誘われましたが、きっぱりと断っています。世間の軸ではなく、自分軸で生きるというホッファーの信念に、この不確実な時代を生きるヒントがあるように思えてなりません。

5 哲学によって善く生きる

先ほど、自分軸で生きるということについて書きましたが、それを最初に明確に宣言した哲学者は、まさに最初の哲学者、古代ギリシアのソクラテスだったのではないでしょうか。ソクラテスによると、哲学の目的は善く生きることにあるといいます。

人生とは何か、いかに生きるべきか。この問いに対する最もシンプルな答えは、最初の哲学者ソクラテスがすでに出してくれていたのかもしれません。そこで、ソクラテスの思想を振り返ることで、まとめに代えたいと思います。

そもそもなぜソクラテスは哲学の父と呼ばれるのでしょうか。それは彼が当時の常識ともいっていい神々のいうことを受け入れようとしなかったからです。むしろそうした常識を疑って、知の探求を始めたからなのです。そうして「知を愛する」ということを意味する哲学が誕生したわけです。

つまり、ソクラテスは哲学の意義と方法を確立した人物なのです。哲学の意義とは、当たり前だと思っていることをあえて問い直すことです。これが、いわゆる「無知の知」と呼ばれているものです。そして、哲学の方法とは、徹底的に問いを投げかけることです。こちらは「問答法」と呼ばれています。

無知の知とは、簡単にいうと、自分は知らないとわかっている分だけ、人より賢くなれるということです。だから知を探求し続けることができるのです。ソクラテスがこのような悟りにも似た発想を持つに至ったのには、あるきっかけがあります。

それは、ソクラテスが誰よりも賢者であるという神のお告げがあったため、それを疑って確認してまわったことです。当時、自分が賢いとうそぶいていたソフィストと呼ばれる職業弁論家たちに、論争をしかけて確認してまわったのです。すると、皆ただ知ったかぶりをしているだけだということが判明しました。だから、まだ無知を自覚している自分のほうが伸びしろがあると思ったのです。

同時にソクラテスは、哲学するための方法論も編み出していきました。それが問答法、あるいは産婆術です。質問を繰り返すことで、相手の口から答えを導き出す手助けをする方法です。あたかも赤ちゃんが生まれるのを助けるソクラテスの母の仕事だった産婆さんのように。

彼の意図は、決して自分の考えを押し付けるといった点にあったわけではありませんが、この問答法が災いして、裁判にかけられてしまいます。俗にいうソクラテス裁判です。ソクラテスが裁判にかけられた理由は二つ。一つ目は古代ギリシアの神を冒涜したこと。二つ目は若者を堕落させたことです。しかし、いずれも誤解に基づくものでした。

なぜなら、彼はただ、自分が正しいと思ったことをしただけだからです。だから死刑判決を受け入れたのです。過ちを認めたり、逃げたりするのは、自分の信念を曲げることになると。哲学とは、自分自身が善く生きるためにするものだというのは、そうした意味なのです。

以降哲学は、善く生きるために自分の人生を吟味する手段として存在し続けています。それは近代においてもそうですし、現代思想においてもそうです。もちろん最新の思弁的実在論や新実在論といった思想、あるいはポスト・ヒューマニティーズといった非人間中心主義の思想においても、その本質が変わることはありません。ポスト・ヒューマンの時代であったとしても、人間が生きていかなければならないという事実は変わることがないからです。

たとえアンドロイドが登場したからといって、人間が消え去るわけにはいきませんから。そこまでいかなくても、人間拡張によって私たち自身が今持っているこの身体や知能さえ手放すことになったとしても、その新しい人間として生きていくことが求められるのです。

さて、人生とは何か。いかに生きるべきか。その答えはまだまだ開かれたままですが、本節がこの深淵な問いへの一歩を踏み出すためのきっかけになれば幸いです。

2　政治と社会

1　はじめに――どんな社会が理想的なのか

皆さんはどんな社会に住みたいですか。もちろんそれは、日々の暮らしの中で何を重視するかによって変わってくると思います。たとえば、自由を重視する人もいるでしょうし、豊かに暮らせることを重視する人もいるでしょう。あるいは、差別がないことや、治安がいいことを重視する人もいると思います。

問題は、ある事柄を重視すると、時にそれと対立する別の事柄が軽視されてしまうことがあるという点です。そうすると、誰の理想を優先するかという話になってきます。みんなが満足できることが理想ですが、時には妥協も必要でしょう。

その時、どうやって優先順位を決めたり、妥協点を探るのかということも問題になってきます。一般には民主主義的に決めればいいなどといわれますが、あたかも万能薬のように民主主義が機能するわけではないのが現実です。

さらには、そうやってなんとか理想に近い社会を築けたとしても、別の社会と衝突することも考えられます。少なくとも、世界はいまだに国家を単位として構成されていますから、国家同士、民族同士が衝突する可能性は大いにあるわけです。

今お話ししたことは、いずれも政治と社会に関する諸論点を意識しています。具体的には、自由と平等、正義、民主主義、ナショナリズムといった問題です。以下ではこれらの論点について、歴史上の哲学者たちがどのような議論を展開してきたのか見ていきたいと思います。

2　どうして自由と平等は対立するのだろうか——自由と平等について

政治とは、一言でいうなら利害関係を調整することです。その利害関係の最たるものが、自由と平等なのです。人間は自由でありたいと思うと同時に、平等に扱われたいとも思う生き物なのです。ところが、誰かの自由を実現することによって、他の人の平等を損なう可能性もあります。だから自由と平等は対立するかのように思われることがあるのです。

では、自由と平等を対立させず、両立させていく方法はないものでしょうか。この問題を考えるために、まずは自由と平等各々の概念をめぐる歴史上の議論を振り返ってみましょう。

自由についての議論は、一七世紀のジョン・ロック（John Locke）の説く、生まれながらにして持っている自然権の話にまでさかのぼることができます。古典的自由主義といって、人から侵害されない自由を意味します。その理論を明確にしたのが、ジョン・スチュアート・ミル(John Stuart Mill)の『自由論』です。ミルは、他人に危害を加えない限り自由が保障されるとする「危害原理」を唱えました。

しかし、一九世紀後半に起こった産業革命は、社会に貧富の差をもたらしました。そうすると、むしろ国家が個人の自由実現のために積極的に介入すべきだと考えるようになります。それがイギリスの理想主義を代表する哲学者トーマス・グリーン(Thomas Green)らによる新自由主義(ニュー・リベラリズム)の立場です。いわば国家による福祉の始まりだといっていいでしょう。

しかし、一九七〇年代後半、先進資本主義国が軒並み財政危機を迎えると、国家による福祉は批判にさらされます。例えば、自由至上主義を意味するリバタリアニズムの代表的な論者、ロバート・ノージック(Robert Nozick)は、所得の再分配は自己所有権の侵害であるとさえ主張します。ノージックは、『アナーキー・国家・ユートピア』の中で、国家の役割を国防や裁判、治安維持といった最小限にとどめるべきであるとする「最小国家論」を唱えました。

このリバタリアニズムのライバルといってもいいのが、ジョン・ロールズ(John Rowls)を嚆矢とする現代のリベラリズムです。一言でいうと、これはニューリベラリズムと同じく、国家による自由の実現を唱えるものなのですが、詳細は正義に関する議論として、後で詳しく紹介したいと思います。

さて、自由に関する議論は以上のような変遷を経てきたわけですが、平等の方はどうか？実は平等に関する議論は、自由の行き過ぎによって生じてきた貧富の差をどうするかという文脈で盛り上がっていきました。いわゆる社会主義の議論です。

もともと社会主義は、空想的社会主義あるいは初期社会主義と呼ばれる思想に端を発しています。サン＝シモン（Saint-Simon）やジョゼフ・フーリエ（Joseph Fourier）、ロバート・オーウェン（Robert Owen）といった人たちが、富の平等な分配を唱えたのです。ところが、これら初期の社会主義思想は、科学的な理論を欠いているとして批判されました。その急先鋒が、科学的社会主義を打ち立てたドイツの哲学者・経済学者のカール・マルクス（Karl Marx）でした。彼は、同志であるフリードリヒ・エンゲルス（Friedrich Engels）と共にマルクス主義と呼ばれる平等思想を樹立したのです。

マルクスらによると、人間にとっては労働こそが本質的なものであって、能力を発揮する機会であるにもかかわらず、私有財産制のもとでは労働者はまず労働生産物から疎外され、ひいては人間そのものから疎外されるに至るといいます。そして、その疎外状況を止揚する運動として共産主義を位置づけました。

現代社会ではマルクス主義そのものは下火になっていますが、その根本精神は自由主義と融合する形で発展し、社会民主主義として自由の行き過ぎに歯止めをかけるための政治哲学として、ヨーロッパを中心に根強い影響力を誇っています。社会民主主義が必ずしもうまくいっているわけではありませんが、少なくともこれが自由と平等を両立させようとする試みの一つであることは間違いないでしょう。

3　正義とは誰にとってのものなのだろうか――正義について

正義と聞くと、いかにも正しいように思えますが、反対側の立場に立つと、それが不正義になることもあるのです。多数者が常に正しいとは限らないでしょう。現実にはそう思われている節があるのですが。そこで、正義とは何かを考えるうえで、まず押さえておかなければならないのは、一八世紀に誕生した功利主義の思想だといえます。功利主義は、イギリスの思想家ジェレミー・ベンサム（Jeremy Bentham）によって生み出されました。

ベンサムは、快楽と苦痛を基準に正しさを判断すべきだとする「功利性の原理」を掲げました。いわゆる「最大多数の最大幸福」というスローガンに象徴される思想です。つまり、社会の利益を最大化するためには、少数者の幸福よりも、多数者の幸福を増大させるほうが望ましいということです。また、同じ多数者の幸福でも、小さな幸福より大きな幸福を増大させるほうが望ましいということになります。

ただ、そうすると少数者が犠牲になるのはやむを得ないということになってしまいます。その点に異を唱えたのが、ロールズの『正義論』だったのです。この本は、戦後下火だった政治哲学の復権を図るものとして、大いに注目を浴びました。

ロールズは多様な価値観の中で、公正な分配を実現するために、いわば多様な「善」に対する中立的な「正」の優先を提案しようとしたのです。まず人々は、共通の規範が存在しない状態に置かれているとします。これが原初状態です。ここから人々は希少な資源を分け合う方法について考えることになります。ただしその際、「無知のヴェール」という制約を課されます。つまり、皆自分自身の年齢や能力、社会的地位といった特定情報は知らないものと仮定するのです。

そのうえで、「正義の二原理」を掲げます。第一原理は「平等な自由の原理」、第二原理の（a）は「格差原理」、（b）は「公正な機会均等の原理」と呼ばれています。

まず第一原理によって、各人に平等に自由を分配すべきだとされます。ただし、ここでいう自由は言論の自由や思想の自由、身体の自由といった基本的な自由に限られます。次に、第二原理の（b）によって、社会的・経済的不平等については、ある地位や職業に就くための機会の均等が保障されている場合にのみ認められるとします。

それでも残る不平等が、第二原理の（a）「格差原理」によって調整されます。ただし、不平等が許されるのは、最も恵まれない人が最大の便益を得るような形でなされる場合に限られます。つまり、才能に恵まれた人は、偶然にそのような才能を与えられたにすぎないのだから、不遇な立場にある人に自らの便益を分け与えるべきだというわけです。

ロールズの緻密な分析は、「〜すべき」という規範を提起する分析政治哲学の走りといわれています。しかし、善の中身を議論せずに正しさを導き出そうという点については、共同体の意義を重視するコミュニタリアニズムという思想から強い批判を受けました。チャールズ・テイラー（Charles Taylor）やマイケル・サンデル（Michael Sandel）といった人たちがその中心ですが、彼らは八〇年代にリベラル対コミュニタリアン論争という大きな議論を巻き起こしました。

その延長線上にあるのが、グローバル正義の議論です。グローバル正義とは、国際社会における正義にまつわる議論です。国際社会ではますます誰にとっての正義なのかということが厳しく問われてきます。この点リベラリズムは、共同体ではなく、あくまで個人を主体に考えるので、国内的正義の議論もグローバル正義の議論も同じものとしてとらえます。こうした立場は、コスモポリタン・リベラリズムなどと呼ばれます。

彼らはグローバルな領域においても、個々の共同体を越えて人類の一員としての権利義務関係が成立しうると考えるのです。トマス・ポッゲ（Thomas Pogge）らがその代表的な論者です。たとえばポッゲは、グローバルな資源の配当という名の基金を提唱します。資源の生産の一％を途上国のサービスに役立てることで、地球上のすべての人々に基本的なインフラを供給できるというのです。

以上のリベラルからの立論に対して、コミュニタリアニズムの立場からすると、文化や伝統を共有する共同体を越えて、何からの道義的義務が発生するようなことは当然ないということになります。むしろそれは、共同体の多様性を抑圧する危険な発想でさえあるというわけです。しかしそうなると今度は、それぞれの掲げる共同体の正義をどう調整するかという問題が生じてくるわけです。

4　多数決で決めるのがベストなのだろうか——民主主義について

私たちは子どものころから、多数決で物事を決めるのに慣れきっています。だからそれが一番いいと思い込んでいるのですが、本当にそうでしょうか。そもそも多数決って何なのでしょうか。実は、多数決は民主主義の制度に基づいています。たしかに、「民主主義的に多数決で決めよう」なんていいますよね。

そこでまず、民主主義の意味から考えていきたいと思います。この言葉は元々は西洋から入ってきたもので、デモクラシーの訳として通用しています。デモクラシーの語源をさかのぼると、古代ギリシアの「デモクラティア」に行き当たります。デモクラティアというのは、デモス（民衆）とクラティア（力）の合成語です。

当時のギリシアはアテネに代表されるように、都市国家ポリスにおいて、多数を占める民衆が、まさに自分たちの力によって政治を行っていたのです。ところが、王が哲学を学んで政治をすべきとする哲人政治を説くプラトンをはじめ、民主主義には疑問が投げかけられてきたのも事実です。つまり、大衆に任せると、無知と無責任さによって、政治の安定性が損なわれてしまうのではないかと懸念したのです。

その後中世の時代は王や教会が世の中を支配していたので、民主主義の出る幕はありませんでした。そしてようやく近代になって、フランスの思想家ジャン＝ジャック・ルソー（Jean-Jacques Rousseau）らが、社会契約説を唱えたことで、民主主義の議論が盛んになっていったのです。社会契約説とは、人民が契約に基づいて自ら統治するという理論です。

とはいえ、多数の大衆が物事を決める以上、無知や無責任さが伴うことは否めません。仮に大衆が代表となる政治家を選び、その政治家たちが議会で議論する制度をとったとしても、限られた時間の中できちんと議論をするのは困難です。結局、しっかりと議論しないままに多数決で物事を決めても、それがベストな選択だとはいえないでしょう。

そこで、そんな民主主義の形骸化ともいうべき事態を乗り越えるために、熟議民主主義の必要性が唱えられています。熟議とはdeliberationの訳で、討議と訳されることもあります。一九九〇年代から欧米で使われ始めたのですが、簡単にいうと、理性を用いて徹底的に話し合うことを意味します。

例えば、ドイツの哲学者ユルゲン・ハーバーマス（Jürgen Habermas）などが代表的な論者です。ハーバーマスによると、近代社会においては、道具的理性、つまり理性を自然や感情を支配するための手段として使用するという発想が支配的だったといいます。これに対して、『コミュニケーション的行為の理論』の中で、熟議の基礎となる「コミュニケーション的理性」の必要性を主張しました。理性は共同生活における合意形成のためにこそ用いられるべきだというのです。

熟議民主主義にとっては、多数決はあくまで暫定的な決定ということになります。なぜなら、話し合う機会や必要性があれば、いつでもそれを再開するというのが熟議の原則だからです。したがって、こうした意味での民主主義が主流になっていけば、無知や無責任に基づく判断は減っていくに違いありません。

ところが、現実の社会ではその逆のことが起こっています。それがポピュリズムという傾向です。過激な主張を唱えるカリスマ的政治家を大衆が支持することで、きちんと議論をすることもなく物事を推し進めていく現象です。

こうした現象の背景には、民衆の不満が横たわっています。そして、その不満を代弁するかのように、ポピュリスト政治家が現れるのです。その意味では、ポピュリズムは民主主義が機能不全に陥っていることの警告としてとらえられるでしょう。

では、私たちはポピュリズムにどう立ち向かっていけばいいのか。政治思想家のフリードリヒ・マックス・ミュラー（Friedrich Max Müller）は、『ポピュリズムとは何か』の中で、ポピュリズムの本質を分析しています。それによると、ポピュリストたちは、あたかも単一の共通善が存在するかのごとく喧伝し、自らがそれを実現することを強く訴えるのです。つまり、他の考えや道徳を認めようとしない反多元主義こそが、ポピュリズムの本質だということです。

結局、私たちが真の民主主義を取り戻すためには、多元的な意見を政治に反映するべく声を上げていくしかないのです。

5 どうして国家は反目し合うのだろう――ナショナリズムについて

第二次世界大戦が終わり、グローバル時代を迎え、地球は一つになったはずです。にもかかわらず、相変わらず私たちは国家を単位として暮らし、時にそのせいで他の国と反目し合っています。個人同士では仲が良くても、国家という単位で考えると、利益がぶつかったりして、急に気まずくなるのです。

この問題を考えるためには、まず国家とは何なのか、しっかりと把握しておく必要があるでしょう。一般に国家とは、ある一定の領域内に住む人々に対して、持続的に統制権を行使する組織をいいます。とりわけ近代国家の場合、領域、主権、国民が、国家を規定する三要素であるといわれます。

では、なぜそんな国家が排他的になってしまうことがあるのか。それは国家を意識すると き、人々の心にナショナリズムと呼ばれる思想が沸き上がってくるからです。

ナショナリズムの起源についていては、代表的な三つの考え方があります。一つ目はイギリスの歴史学者アーネスト・ゲルナー（Ernest Gellner）が『民族とナショナリズム』で明らかにした考え方です。ゲルナーは、近代の産業社会化がナショナリズムを生みだしたといいます。つまり、それまでの農耕社会においては、土地の耕作といったモノに対して働きかける労働が主だったため、文字文化は一部の特権階級を除き必要とされていませんでした。

ところが、産業社会では、工場で働くにしても、サービスを提供するにしても、他者と意思疎通をしたり、設備マニュアルや規則の理解したりといった事柄が求められてきます。つまり、共通の言語を操る能力が必須のものとなるのです。こうして産業化がきっかけとなって、人々は同じ言語を話し、同じ歴史観を植え付けられることで、ナショナリズムが生まれたというわけです。

二つ目は、比較政治学者のベネディクト・アンダーソン（Benedict Anderson）が『想像の共同体』で紹介した考え方です。アンダーソンは、出版資本主義の進展と世俗語の普及に着目します。つまり、世俗語で書かれた新聞や小説といった印刷媒体のおかげで、人々は同じ内容のものを読み、民族に関する共通のイメージを抱くようになりました。そうして出来上がった国家という想像の共同体が、ナショナリズムを生みだすきっかけになったと主張するのです。

彼らの主張に共通するのは、近代になって無からネーションに対する意識が人々の間に生じ、ナショナリズムが生み出されたと考える点です。これに対して異議を唱えるのが、三つ目のイギリスの社会学者アントニー・スミス（Anthony Smith）の考え方です。

スミスは『ネイションとエスニシティ』の中で、ナショナリズムには民族的な起源があるはずだといいます。これは「エスノ・シンボリックアプローチ」と呼ばれるものです。このアプローチによると、ネーションの創出は近代に入って一度起こればそれで終わりという類のものではなくなります。それは常に繰り返されるのです。そしてネーションの創造は、周期的に更新され、絶え間ない再解釈と再発見、再構成を含むといいます。だからナショナリズムはいまだに問題になるのです。

このように、ナショナリズムは同じ国家に生きる人たちの間に不可避的に構築されるアイデンティティのようなものだといっていいでしょう。つまり、人々が国家の存在ゆえに抱いてしまう排他性は、アイデンティティの裏返しでもあるのです。

6　政治を哲学することの意味

ざっと駆け足で政治と社会にまつわる知の歴史を概観してきましたが、政治と社会をめぐる哲学のイメージはつかめたでしょうか？ 政治と社会を哲学で扱うのは、学問分野でいうとまさに政治哲学や社会哲学ということになります。ただ、社会哲学は社会という言葉があいまいであることもあって、扱う範囲がかなり広くなります。言語を主題にすることもあれば、国家を主題にすることもあります。そこで、ここでは政治哲学にしぼって主要な論点を紹介することにしました。

なお、本節ではじっくりと触れることができませんでしたが、政治哲学にもやはり歴史があって、それに即して学ぶということも可能です。つまり、古代ギリシアから現代に至るまでの政治哲学に関する知の歴史を時代順に追っていくということです。そうした学問は通常政治思想史と呼ばれています。一般に政治思想史は、アプローチの違いから政治哲学とは区別されています。また、政治理論という分野もありますが、これは政治哲学と同じと考えていいでしょう。

ここに挙げたテーマ以外にも、たとえば資本主義、グローバリゼーション、フェミニズム、多文化主義、宗教、戦争、テロといった様々な問題が政治哲学の主題になり得ます。ただ、自由と平等、正義、民主主義、国家というのは、どのテーマにも関係してくる最も基礎的な論点であるといえます。ですから、応用の部分については、ぜひ皆さんで考えていただきたいと思います。

古代ギリシアの哲学者アリストテレスがいったように、人間は共同体の動物です。誰も一人では生きていけません。政治や社会のあり方を哲学する必要があるのは、まさに私たちが生きていくためにほかならないのです。

3 倫理と道徳

1 はじめに――「お天道様」が見ている

「どうして人を出し抜き、悪の道に走って生きる人が幸せそうに暮らしていて、かたや、こつこつ真面目に生きているあの人がこんなにひどい目に合わなくてはいけないんだろう」。

みなさんは日々の生活のなかで、このように思ったことはありませんか。真面目に社会のルールを守り、道徳的に生きる人が、報われずに悲惨な状況に置かれたり、ときには、大きな自然災害や様々な事故などによって命を落とす人がいます。また、社会のルールや人々の善意を逆手にとり、自分自身の利益のために、ときに人を出し抜くこともいとわない人が、罰されることなく幸せに暮らすこともあります。

このことを思い浮かべるとき、「お天道様が見てるに違いない」といった感覚を覚えないでしょうか。しかし、現実の世界では、不道徳な人が必ず不幸になること、あるいは道徳的に生きることと、(それが報われて)幸せになること、は結びついてはいません。「お天道様」は常に、私たちの想いに答えてくれるわけではないのです。むしろ、ある人が幸せになれるかどうかは、道徳的な生き方よりもそれ以外の要素、たとえば仕事上の能力や人間関係の豊かさ、様々な運などの要素が強いと言えるでしょう。

ですが、それでも、道徳的に生きた人は幸福になってほしい、いやなるべきだ、つまり、道徳と幸福(不道徳と不幸)がまさに「因果」のように結びつく世界は望ましいものだ、こういった考えは私たち個人の願望に収まらず、哲学・倫理学上の議論の的でもありました。そのほうが、フェアな社会が実現されるように思えるからです。では、そういった世界はどうすれば実現できるでしょうか。大きく分けて二つの道があるように思います。一つが、政治や法的な体制とそれに基づく恩賞や刑罰をより公正なものにしていくことを目指す道です。私たちの社会もまずはこの道を目指しているはずですが、人間の力だけではやはり限界があります。そこで、こちらの方が歴史的には古いアイデアですが、もう一つの道は、この現世だけでは完全なフェアな世界は実現できないと考え、死後の世界(来世、天国や地獄)を想定し、神の救いや裁きに求めようとするものです。神や宗教というと抵抗感がある方も多いかもしれませんが、私たちが「お天道様は見ているはず」と強く思うときには、なんらかこのような想いを抱いているのではないでしょうか。

2 嘘はいつでも悪いことか――功利主義

この文章を読んでいる方のなかで小さな嘘一つもこれまでの人生でついたことがない人はおそらくいないのではないでしょうか。あるいは、もう少し大胆に言えば、多くの人は日常的に嘘をついている、とすらいえるかもしれません。では嘘をつくのはいつでも悪いわけではないのでしょうか。ついてもよい嘘はあるのでしょうか。

一八世紀ごろにイギリスでベンサムやミルといった哲学者によって確立され、現代にいたるまで倫理学の有力な立場の一つである「功利主義」という立場から考えてみることとしましょう。功利主義にも様々なバリエーションがあり、一つ一つ立場は違いますが、その創始者ともされるベンサムの主張する「功利性の原理」とは、人がなすべきこととは、社会全体の幸福（快）を増やす行為のことであり、反対に、なすべきでないことは社会全体の幸福（快）を減らす行為である、というものです。これを一言で「最大多数の最大幸福」ということもあります。注目したいのは功利主義は行為の意図ではなくて、行為の結果に着目する、「結果主義」という特徴です。それゆえに、同じ行為の内容であっても、それが行われる状況や関係者の数が違えば、結果も大きく変わり、それにより行為の善悪の判断も変化するといえます。

では、上記の立場を具体的な場面に置き換えてみましょう。友人の誕生日を祝うサプライズのためにつく嘘や、末期がん患者に対して病状や病名を伏せたり、軽く説明するためにつく嘘は功利主義からみればどのように評価できるでしょうか。この前者のケースは嘘をついた結果として、サプライズが成功し、祝われた友人が幸せを感じ、またサプライズをしかけた友人も幸せを感じるならば、嘘をつかなかった場合よりも多くの人が幸せになると考えられます。だから功利主義の立場から考えれば、このような嘘は悪いことであるとは言えません。また後者の末期がん患者の場合も、結果的に患者が闘病期間を間近にある死を恐れて苦しまずに過ごすことができ、周りの家族や友人もそれを望んだならば、悪い嘘とは断じることができないでしょう。このように、嘘について、「ついてもよい嘘がある」と考える立場は、功利主義の結果的な幸福の総量を考える、という考え方によって説明することができます。

ですが、功利主義には様々な反論が可能です。一つ例を挙げるとすれば、結果から行為の善悪を考える、と言いますが、そもそもサプライズをすれば結果的に友人が喜んでくれるとは限らないのではないでしょうか（たとえどれだけその友人のことを理解しているつもりであったとしても）。たまたまその日は体調が非常に悪く、突然のお祝いなどよりも一刻も早く部屋でベッドに潜り込みたい、と思っているかもしれません。末期がん患者に病状について嘘を突き通してもちょっとしたことからそれが当人に知れて結果的により傷つけることになるかもしれません。つまり、行為の結果は、行為をする時点では予想できませんし、それは様々な状況によって変化する偶然的なものです。

このような反論は確かにありえますが、それでもシンプルに行為の結果に着目し、なるべく多くの人を幸せにする行為を正しいものと考える功利主義の立場は大変明快です。様々なバリエーションをもちながら、現代まで倫理学上の大変有力な立場となっています。

3 「偽善」は善か――カントの義務論

さて、功利主義のように、偶然的にすぎない行為の結果によって善悪を判断する立場からはっきりと距離をとったのが、一八世紀ドイツの哲学者カントです。では、次にカントの立場を考えるために、次のような問いについて考えてみましょう。

人に親切な行いをするときに、それが結果的にその人に喜ばれたり、感謝されることで自分が良い気持ちになりたいから、その行動を行うとします。つまり、エゴイズム（利己主義）によるこの行為は道徳的に善い行為と言えるでしょうか。さきほどの功利主義なら、ある行為がエゴイズムに基づくかどうかはさしあたり行為の正・不正とは無関係であると考えます。そのことよりも、結果的に自分や行為の向かう先の相手や社会もが幸福になれるのであれば、動機は問わないのです。ですが、カントが行為の善悪の基準として重視するのは、行為の結果ではなく、行為をなす人の心のありよう（意志）です。ある行為を善いと言えるのは、その行為をなすときの本人の心のありようが、善き意志によって突き動かされている場合のみであるとカントは考えます。サプライズで友人を喜ばせたいと思う気持ちや末期がん患者に対する嘘は、心からその人のためを思ってなすべきことだからという理由でなされたものでしょうか。なるべく人によく思われたい、嘘をつくことで楽でありたいといった善意の名に隠れた自己愛はなかったでしょうか。カントはそこにエゴイズムとしての「偽善」が入り込んでいないかを徹底的に見極めようとするのです。

以上のカントの議論は義務論とも呼ばれます。多くの人間にとって当然の心の動きは、自身の幸福を求めた行為です。それゆえに、自身の幸福を理由とせずに、ただある行為が道徳的であるがゆえにそれをなそうとするとき、私たちの心には抵抗感が生まれるに違いありません。本当はそうしたくないが、そうするべきなのだ、と。このようにして生じる「べき」をさして、カントは道徳的な義務、あるいは定言命法と呼びました。私たちは、自身の幸福に代表とされるような、なにか別の目的のために、人に親切にしたり、サプライズをしかけたりするのではなく、まさにその行いがなすべき道徳的なものだからこそ、それをなすべきなのだ。カントはこのように考えています。

では、カントがある行為が道徳的であるか否かを私たちの心のあり方（動機）に照らして判断しようとするとき、その基準はなんでしょうか。それは、「普遍性」です。つまり、その行為がだれでも、いつでも、どこでも、どんな条件のもとでも、なすに値するものかどうか、それを最大の判断基準にするのだ、というのです。さきほどの嘘を例に考えましょう。友だちや家族が喜んでくれるなら嘘をつくことにしよう、とあなたが考えるときそれは普遍性の観点から採用可能な考えでしょうか。おそらく答えはＮＯではないでしょうか。だれもが、友だちや家族が喜んでくれるという理由でいつでも、どんな状況でも嘘をつくようになった世界を思い浮かべてみると、常に「偽善」によるサプライズや嘘の心配におびえ、本当のこととそうでないことの区別がつきづらくなる、その結果、なにを信用すればよいかわからなくなる、そういった世界にならないでしょうか。

このようにあなたがなそうとしているその行為を普遍性の観点から照らしてみて、道徳的かどうかを判断するのが、カントの定言命法という考え方の骨子です。自分だけのことを考えたエゴイズムによって、その行為が普遍的なものとなることは望めないような行為をなすこと、すなわち、自分自身を例外として考えることについて、カントは厳しい目を向けるのです。

４　あなたはレバーを引くか、引かないか

これまで紹介してきた倫理学の立場を理解するうえでも有益で、大変有名な思考実験に、トロリー問題と呼ばれるものがあります。以前、テレビや書籍でブームになったサンデル教授が

紹介したことでも知られています。その基本的な状況は以下のようなものです。

線路を暴走する路面電車が走っています。もうその勢いを止められそうにありません。線路の先には電車の侵入に気づかない四人の作業員がおり、このままだと全員が死んでしまいます。しかし、あなたの横にはレバーがあり、これを引けば列車のコースが変わります。ですが、変更先のコースにもまた一人の作業員がいるのです。あなたならどうしますか。

最大多数の最大幸福を掲げる功利主義者なら、原則としてレバーを引くと答えるでしょう。レバーを引いて一人を犠牲に四人を救う社会のほうがレバーを引かずに四人の命を見捨てる社会よりも、結果としての幸福の観点からみて望ましいように思われるからです。他方で、カント的な義務論者なら必ずしもそうは言わないでしょう。レバーを引くという行為はいうなれば殺人です。殺人はいつ、いかなる状況や理由があれど、なすべきでない義務だ、だれかの幸福は道徳的な行為の理由にならない、こう答えるかもしれません。

また、さきほどの状況には様々なバリエーションがあります。仮に、あなたが太った男とともに線路をまたいだ歩道橋に立っているとします。この男をそこから突き落とせば、その男の死を代償として暴走する列車は止まり、四人の作業員は助かります。こういった状況を想定してみても、四人の命と一人の命を天秤にかけるという構図自体は変わっていません。ですが、さきほどのレバーの例では功利主義的な判断をしていた人の中には、太った男を突き落とすことには同意しない人もいるのではないでしょうか。そうであるとすれば、同じような結果をもたらす行為であっても、私たちには行為の性質や意図を、実は評価の際には検討している、ということが明らかとなります。このように一見シンプルで、私たちの道徳的な直観を試すようなトロリー問題ですが、様々な倫理学者や心理学者らのあいだで、議論が続いています。

さて、少し観点を変えて考えてみましょう。先ほどのような状況で、「私は功利主義者だから、迷わずレバーを引きます」と答える人も、「義務論者としては人を殺すことになるレバーを引く行為を断じて容認できない」と答える人も、それぞれの倫理学の立場からすれば正しい行為を選んでいることになるかもしれません。ですが、いずれであっても、迷いなくどちらかの立場を決断し行為をするような人は一般的に私たちが使うような意味での「よい人」という言葉と少しずれたところがないでしょうか。むしろ、レバーを引くべきか、引かないべきか、あるいは、太った男の背中を押すべきか、押さないべきか、二者択一を選び取りきれずに、誠実に悩み続けるような人柄のなかに「よい人」を見出さないでしょうか。あるいは、少しシチュエーションが変わりますが、レバーを引いた先にいる一人の作業員が家族や親しい友人だったときに、功利主義的な判断よりも身近な人への愛を優先してしまうような人に、なんらかの「よさ」を感じ取りはしないでしょうか。もしそうであるとすれば、これは功利主義にも義務論にもうまく言い表わせていなかった、なんらかの「よさ」を示しています。

5　「よい行い」と「よい人」はちがうか

今わたしが取り上げた立場は、功利主義や義務論のように、だれかの特定の行為の善悪・正不正に注目するのではなくて、その人がどのような人であるのかに注目する「徳倫理」と呼ばれる立場です。どのような人であるのかは、徳という言葉で伝統的には表現されてきた言葉です。日本語でも、あの人は「徳のある人だ」といった表現が言わんとするものと同じですが、もう少し私たちの日常的な言葉遣いに近づけるならば、性格や人柄といってもよいでしょう。こういった考えは、古代ギリシアにおいて「万学の祖」とも呼ばれたアリストテレスの考えを現代の倫理学者たちが復興・アレンジさせてきたものです。

徳倫理の立場は、功利主義や義務論のように、「なにがなすべき正しい／善い行為なのか」という問いを主たる問題とはせず、「善い人とはいかなる性格の持ち主なのか」を問います。このような立場の優れている点はなんでしょうか。第一に、私たちの日常的な場面に適用した際に、納得しやすいものであると言えます。たとえば、あなたがなんらかの病気を患い、長期の入院をしているところに、遠くの街から時間をかけて親しい友人が来てくれたとしましょう。そこであなたは友人に対して、なにげなく「わざわざ遠いところまでありがとう。君は本当によい友人だ」と言ったところ、友人が「いや、僕が見舞いに来たのは君との友情のためではないよ。知人を見舞うことは義務であると考えた、ただそれだけの理由だ」と答えたのです。あるいは、義務と述べたところを功利主義的な理由にしても構いません。いずれにしても、このような見舞いの理由は、確かに道徳的に正しい行為と理由であると言えるようにも思いますが、直感的には納得しづらい動機ではないでしょうか。徳倫理学なら、むしろ友情や誠実といった個人の人柄に訴えることを認めますので、そういった納得のいかなさを回避することができるでしょう。

第二に、功利主義や義務論は結果主義と動機主義という点において大きく立場を分かつものですが、なんらかの平等という価値に訴える点において共通しているとも言えます。功利主義が「最大多数の最大幸福」をスローガンとするとき、基本的には、当該の行為の関係者のなかでだれかを特別視することを批判し、中立の立場からの判断を求めます。それゆえに、トロリーの行く先にいるのが家族であれ恋人であれ、それは無視して考えなくてはいけません。また、カント的な義務論では、普遍性が重視され、自分自身を例外視することが厳しく批判の対象となっていました。これもまた自分自身を特別視することなく、いつでもだれでも採用可能な行いを義務と考える、という意味でなんらかの公平さの価値を志向しています。ですが、遠くの見知らぬ他者と身近な家族や友人を同じように公平に扱うことは、なぜ重要なのでしょうか。そのように問うことは可能です。むしろ、愛情や友情に価値をおき、時に他者に対する関わりを偏ったものにすることは、「よい人」とも言えるはずです。このように、当たり前に自明視してきた「公平さ」という価値に対して徳倫理の立場は疑問を投げかけているともいえるでしょう。

6 倫理学は何を問題にしているのか

さて、これまで見てきたような三つの立場（功利主義、義務論、徳倫理）は、「いかによい行為をするべきか」や「いかによい人になるべきか」といった問いに向かう領域「規範倫理学」を代表するものです。これらの代表的な議論とともに、わたしたちが改めて「いかに生きるべきか」といった問いを考える際には、少なくとも一度は事実（である）と規範（べきである）を分けて考えることが重要です。多くの人が事実日々嘘をついているからといって、必ずしもそのようにふるまうことが道徳的に正当化されるわけではありません。仮に嘘をついたことがない人間が一人もいなくとも、道徳的には嘘をつくべきでない、と主張することは十分に可能です。このように事実から規範を導こうとする誤りは「自然主義的誤謬」と呼ばれます。

今述べた誤謬をはじめ、具体的な規範を問うためには、「そもそも道徳的であるとはどのようなことか」「善いとはどういうことか」といったより抽象度の高い問いにまで遡る必要があります。これらは規範倫理学の前提になるような善さや道徳的な価値そのものを問い直すものとして、「メタ倫理学」という一分野を築いています。特に「なぜ道徳的でなければならないのか」という問いは、Why be moral? 問題と呼ばれ、様々な立場からの議論が繰り返されている難問です。「なぜ悪いことをしてはいけないの?」と素朴に尋ねる子どもに対し、「それは悪いことだからだよ」と答えるのは同語反復（トートロジー）にすぎません。であるとすれば、この問いには、どのように答えることができるでしょうか。

また、抽象的な議論を飛び出して、実際に起きている事例や現代において問題となっている状況を取り上げることでより具体的な問題を扱おうとする「応用倫理学」という領域もあります。たとえば、「妊娠中絶は是か否か」や「脳死を人の死と認めるとはどういうことか」などを扱う生命倫理学、「動物に権利はあるのか」「食肉は認められるのか」などを取り上げる動物倫理学、「今を生きる私たちに未来の世代へよい環境を引き継ぐ責任はあるか」「なぜ自然破壊はいけないのか」などと問う環境倫理学のほか、様々な具体的に論争があるテーマについて倫理学的に考えていくことが可能です。

ところで、他の哲学の領域とは少々事情が異なり、哲学プラクティスでも問われるような倫理学的な問いは、私たちの日常的な出来事や経験をもとに考えていくことが可能なテーマばかりです。そして、個々の経験や常識に即して考えることは倫理学の探究にとっても、哲学プラクティスの営みにとっても大変重要です。それならば、個々人の人生経験や常識的な感覚をもとに考え、話し合えばよいのであって、倫理「学」を参照する必要はないのでしょうか。

確かに、世間がみな認めるような極悪な犯罪や、悪意をもった嫌がらせなどは、わざわざ倫理学を持ち出すまでもなく、常識的な感覚に頼りさえすれば、「悪い行いだ」と言えるようにも思えます。しかし、哲学プラクティスにおいて問われる問いとは、そういった常識的な感覚で誰にでも判断できるようなケースではなく、むしろ常識的な感覚や当たり前をあえて問い直すようなものであることがほとんどのはずです。それゆえに、私たちにとって身近で自身の経験でも話し、考えることが可能なテーマをあえて疑うときには、自身を常識や経験の範囲の外に連れ出してくれるような理論が必要だとは言えないでしょうか。倫理学は（他の哲学的な探求と同じく）、善悪の単純な判断＝「なにをすべきか」だけではなく、判断の理由や前提＝「なぜそれが悪いと言えるのか」「なぜそれをなすべきなのか」を徹底的に明らかにしようとします。哲学者たちの徹底した思考は、身近な当たり前をあえて疑うために、常識や経験から私たち自身を引き離してくれるはずです。

4 宇宙と存在

1 はじめに――この宇宙に私が生きているのはなぜか

気が遠くなるほど広大な宇宙に、ぽつりと青い星がある。その星にはたくさんの生き物がいる。その生き物のうちの一つが、私だ。

なぜ私はいるのだろうか。私はこの星の生き物の一つとして生まれた。それはなぜだったのだろうか。広大な宇宙があり、青い星があり、生き物たちがいる。それだけでも不思議なことかもしれないのに、それだけでなく、私というこの奇妙なものが生まれた。それも、生き物の一つとして生まれた。

なぜ、この宇宙に私は生きているのか。そう問わずにはいられない。答えが知りたくなる。でもきっと、答えはわからないまま、私は死んで消え去り、宇宙は私のいない状態に戻るだろう。

それでも問わずにはいられない。なぜこの宇宙に私は生きているのか。

宇宙を超えた神のような存在が、私であるような生き物をつくったのだろうか。もしそうだとしたら、何のためだろうか。宗教の本を読めば、ヒントになることが書いてあるだろうか。

それとも、神のような存在のおかげではなく、たまたま偶然、私であるような生き物が生じたのだろうか。もしそうだとしたら、どういう仕組みの偶然がはたらいたのだろうか。科学の本はヒントになるだろうか。

答えは見つからないかもしれない。けれども、少しでも答えに近づくことができれば、この宇宙にいる時間が、少しは有意義になるかもしれない。つまり、「なぜ宇宙に私は生きているのか」が少しでもわかれば、「何のために、何の意味があって私は生きているのか」も、少しはわかるかもしれない。

けれども、もしかしたら、答えに近づくことさえまったくできないまま、私は死んで、宇宙から消え去ってしまうかもしれない。それなら、この宇宙にいるあいだ、もっとほかのことを考えて、ほかのことをしたほうがいいような気もする。

それでも、問わずにはいられない。だから今日も、宇宙と私のことを考えている。

2　宇宙空間の大きさは無限なのか――空間論

(1)「無限」と「果て」

途方もなく大きなこの宇宙。その大きさに、限りはあるのでしょうか。星空を見ながら、あるいは眠るときに目を閉じて、そんな疑問を感じたことが誰しもあると思います。

宇宙空間の大きさは、いくら広大とはいえ、限りがあって有限なのでしょうか。それとも、宇宙空間の大きさには限りがなく、無限なのでしょうか。

「宇宙空間の大きさは無限なのか」。この問いは、「この宇宙に果てはあるのか」とも言いあらわせるように思われます。ところが実は、そうではありません。

たとえば、地球の表面の大きさは有限です。陸と海とを合わせても、地球上の広さには限りがあります。だからといって、地球の表面に果てがあるのかといえば、そうではありません。地球の表面には、それ以上先へ進めないような地点はありません。どこまで進んでも、果てに行き当たることはなく、(地球を何周もしながら)進みつづけることができます。

このように、「大きさが無限」が正しくなくても、「果てがない」は正しいことがあります。ということは、「大きさが無限」と「果てがない」は同じことではなく、別々のことなのです。

この区別は、「宇宙空間の大きさは無限か」という問いを考えるとき、とても大事になってきます。たとえば、「宇宙空間の大きさは無限だ」という考えが正しいかどうか、きちんと検討したいと思ったとします。このとき、「宇宙空間に果てはない」という考えを区別せず、一緒くたにしてしまうと、きちんとした検討ができなくなってしまうかもしれません。

(2) 宇宙観の歴史

さて、「宇宙空間の大きさは無限なのか」という問いは、小さな子どもでも考えそうな、単純な問いのようにも思われます。けれども、そうではないかもしれません。というのも、哲学の長い歴史をみても、「宇宙空間の大きさは無限だ」という考え方は、比較的新しい時代になるまで、はっきりと出てこないからです。

いまからおよそ五〇〇年前の一六世紀、ニコラス・コペルニクス(Nicolaus Copernicus)は地動説を唱えました。当時は天動説が信じられていて、地球が宇宙の中心で、ほかの星々は地球のまわりを回っていると考えられていました。コペルニクスはこれに反対し、太陽こそが宇宙の中心で、地球を含めた星々は太陽のまわりを回っていると主張しました。

では、コペルニクスが反対した天動説は、いつの時代から信じられてきたのでしょうか。なんと、コペルニクスの時代よりもさらに約二〇〇〇年さかのぼった、古代ギリシャの時代からです。コペルニクスは、約二〇〇〇年ものあいだ信じられてきた宇宙観を覆そうと挑んだのでした。

そんなコペルニクスでさえ、天動説の宇宙観から、一つの大前提を受け継ぐことになりました。それは、「宇宙の大きさは有限だ」という大前提です。天動説の描く宇宙は、それ自体が巨大な球です。そして、宇宙という巨大な球は、「恒星天球」と呼ばれる球形の殻をもっています。つまり、宇宙は球形の殻に覆われていて、したがって宇宙の大きさは有限だということになっていたのです。コペルニクスは、「恒星天球」に包まれた宇宙の中心に、地球ではなく太陽を置いた点で革命的でしたが、「恒星天球」という宇宙の殻があることは否定しなかったのです。

「宇宙の大きさは有限だ」。この考えは、コペルニクスにとってさえ大前提のままでした。この大前提を問題視し、はっきりと異議を唱えたのは、コペルニクスの死後、一六世紀後半になって登場した哲学者、ジョルダーノ・ブルーノ（Giordano Bruno）です。

ブルーノの考えでは、宇宙空間は無限に広がっています。それだけでなく、ブルーノの考えによれば、無限に広がる宇宙には、無限の数の星々があります。太陽のような星も無限にあります。そして、太陽系のような星の集まりが無限にあります。ということは、地球のような星も無限にあることになります。これは当時としてはあまりに衝撃的な考え方でした（そのためブルーノは火刑に処されてしまいます）。

ブルーノの考えがもたらす一つの重大な帰結は、「宇宙には中心がない」ということです。従来の宇宙観では、宇宙は球の形をしているため、その球がいくら巨大であっても、そこには球の中心というものがありました。そしてその中心が、天体の回転運動の中心でもあるということになっていました。ところが、宇宙が無限に広がっていて、そのため宇宙は形をもたないということになると、宇宙のどの場所をとっても、そこを中心と定めることはできなくなってしまいます。

一七世紀に入ると、パスカルという哲学者が誕生します。パスカルは、無限大の宇宙に比べれば「私」は無に等しいということに、大きな恐れを感じました。またパスカルは、宇宙に中心のような特別な場所がないとすると、ただ星々がどこまでも無限に広がっていて、「私」がここにいることに何の必然性もなくなってしまう――つまり「私」がここにいることはまったくの偶然になってしまう――と考え、そのことに深い驚きを感じました。

パスカルのこうした恐れや驚きは、彼が心の底から実感したものでしょう。現代の私たちも、実感とともにパスカルに共感することができます。そのような実感は素朴なようでいて、当たり前のものでは決してありません。私たちは、二〇〇〇年以上にわたる知的努力に支えられて、宇宙を感じ、宇宙について考えているのです。「宇宙空間の大きさは無限か」と問うことができるのも、そのおかげだと言えます。

3 宇宙に始まりはあるのか――時間論

(1) 時間の「果て」

「宇宙に始まりはあるのか」。これも、誰もが感じたことのある疑問でしょう。この問いは、「時間の過去のほうに果てはあるのか」とも言いあらわすことができます。時間を過去のほうへ過去のほうへとさかのぼっていくと、その果てには宇宙の始まりがあるのでしょうか。それとも、宇宙に始まりはなく、果てしなく無限に、過去のほうへとさかのぼることができるのでしょうか。空間から時間に舞台を移しても、無限や果てといったことをめぐって、難問が生じてくるのです。

「宇宙に始まりはある」と「宇宙に始まりはない」の、どちらが正しいのでしょうか。どちらかが正しくて、どちらかが正しくない、そう言えるように思われます。ところが、一八世紀の哲学者カントは、どちらも正しいことが証明できてしまうとして、読者を戸惑わせるような問題提起をしました。

まずは、宇宙に始まりがあることの証明をみてみましょう。

【宇宙に始まりがあることの証明】……宇宙に始まりがなかったと想定してみよう。すると、どの時点をとっても、その時点までに無限の時間が経ったということになる。しかし、無限の時間が経つことはありえない。ということは、宇宙に始まりはないという想定が誤っていたのである。したがって、宇宙に始まりはある。

私たちが生きている〈現在〉という時点を出発点にしてみると、わかりやすいかもしれません。宇宙に始まりがないとしたら、現在から過去のほうへ、時間を無限にさかのぼれることになります。そうだとすると、現在に至るまでに、無限の時間が経ったことになります。私たちは、無限の時間が経ったあとに生きているのでしょうか。いや、「無限の時間が経ったあと」などということが成立しうるわけがありません。だとすると、宇宙には始まりがあったと考えたほうがよさそうです。宇宙が始まって、有限の時間が経ち、現在こうして私たちは生きている、そう考えれば問題ない、というわけです。

では次に、宇宙に始まりがないことの証明をみてみましょう。

【宇宙に始まりがないことの証明】……宇宙に始まりがあったと想定してみよう。すると、宇宙が始まる前には、何もない時間があったことになる。しかし、何もない時間で、何かが始まることはありえない。宇宙が始まることもありえない。ということは、宇宙に始まりがあるという想定が誤っていたのだ。したがって、宇宙に始まりはない。

宇宙に始まりがあったと想定するとしたら、その前には何があったのでしょうか。そんな疑問を抱いたことがある人は多いでしょう（宇宙の始まりに限らず、果てというものを考えると、「その向こう側には何があるのか」と問いたくなるものです）。宇宙が始まる前、何もなかったのだとしたら、何もなかった状態から、どうやって宇宙が始まったのでしょうか。どうやって無から有が生じたのでしょうか。

それに、宇宙に始まりがあったと想定すると、こう考えたくなる人もいるでしょう。「宇宙が始まる前、何もない状態で時間が流れていたのだとしたら、「何もない状態の宇宙」があったことにならないだろうか。だとしたら、それは宇宙が始まる前とは言えないのではないだろうか。宇宙に始まりがあったのだとしたら、その前には、時間さえもなかったはずだ。時間さえもないまったくの無から、宇宙は時間ごと始まったはずだ」。けれども、かりにそう考えたとしても、時間がないのに何かが始まることなんて、そもそもありうるのでしょうか。

カント自身は、宇宙には始まりがあるという立場と、宇宙には始まりがないという立場の、両方を拒否するという道を選びます。ここではカント哲学の詳しい説明には入りませんので、自分ならどう考えるかについて、じっくり時間をかけてみてください。

（2）未来の時間

ところで、かりに宇宙に始まりがあり、時間の過去のほうに果てがあったとしてみましょう。すると、時間は有限だということが帰結するのでしょうか。有限だとは言い切れないかもしれません。というのも、時間には過去の向きだけでなく、未来の向きもあるからです。かりに過去の時間が有限だったとしても、未来の時間が無限にあるかもしれません。

宇宙の未来のことを考えるとき、「時間の未来のほうに果てはあるのか」と問うことができます。宇宙は永遠に続くのでしょうか。それとも、宇宙には終わりがあるのでしょうか。

宇宙の未来について考えたいとき、アリストテレスによる「実無限」と「可能無限」という区別が役に立ちます。

実無限とは、完結した無限です。あるいは、全体として一挙にある無限です。

それに対して、可能無限とは、「つねに次がある」という意味での無限です。「完結した無限などというものはない。あるのはあくまで有限なもので、「つねに次がある」ということがあるだけだ」。そう考えるときの無限が、可能無限です。

現代科学が示す一つの説によると、この宇宙には終わりがなく、どこまでも膨張しながら永遠に存在しつづけます。つまり、宇宙の未来の時間は無限にあるというのです。これは一体どういう意味でしょうか。このときの無限とは、実無限のことでしょうか、それとも「可能無限」のことでしょうか。

実無限だとすると、無限に続く未来が、全体として一挙にあるということです。無限にのびる数直線のように、無限にのびる時間（時間軸または時間次元）が、すでに存在するのです。現在を生きる私たちは、その時間のうえを未来へと進んでいることになります。

可能無限だとすると、未来へと無限にのびる時間がすでにあるわけではありません。あるのは、あくまで時間が経ったその時点までの時間です。そして、その時点には「つねに次がある」。すなわち、必ず次の時点があります。現在を生きる私たちにとってもそうで、時間は現在までしかのびていませんが、現在には必ず次の時点があります。宇宙の未来の時間は無限にあるとは、必ず次の時点があるという意味だということになります。

「宇宙に終わりはない」という説が正しいとしたら、未来の時間は実無限なのでしょうか、それとも可能無限なのでしょうか。この点についても、ぜひじっくり考えてみてください。

(3)〈現在〉の謎

ところで、かりに未来の時間が実無限だとしたら、現在とは一体何なのでしょうか。すでに全体としてある無限の時間。宇宙の時間が成立するには、それで十分すぎるほどではないでしょうか。なぜ、その時間の上をただなぞっていくだけの現在などというものがあるのでしょうか。

かりに未来の時間が可能無限だとしてみても、現在はやっぱり不思議です。時間はどこまでも長くのびていきますが、そのひとまずの最先端に現在はあります。どこまでも長くのびつづける時間の先端としての〈現在〉。どうしてそこはのびていくのでしょうか（つまり、どうして現在には必ず次の時点があるのでしょうか）。

宇宙の時間には現在というものがあります。このことは、それだけで不思議なことです。この不思議について考えるために、時間には変化を起こすという側面と、長さをもつという側面があるということを確認しておきましょう。

時間は、変化を起こすという側面をもちます。この宇宙では、運動を含めた様々な変化が起きています。この宇宙は変化しつづけています。それは時間があるからです。時間は、変化というものを可能にするのです。

その一方で、時間には長さをもつという側面があります。だから、年表やグラフなどを使って、長さをもつものとして時間をあらわすことができます。

時間のこれら二つの側面の折り合いが、実に難しいのです。

時間は変化を起こすという側面をもちます。にもかかわらず、長さをもつという側面をみると、変化は起きていません。たとえば、時間を年表であらわしたなら、年表という時系列そのものは変化しません。だから、変化しない年表を眺めながら、宇宙の歴史について、あるいは生き物の歴史について、ゆっくり考えることができます。

時間の長さをもつという側面には変化がありません。だとすると、時間の変化を起こすという側面は、時間の長さをもつという側面と、どう組み合わさっているのでしょうか。

現在は、時間の変化を起こすという側面にかかわります。現在においては変化が起きています。そのことは明らかです。この現在は、時間がもつ長さと、どう組み合わさっているのでしょうか。

現在は、時間がもつ長さの上をなぞっていくのでしょうか（まるでレールの上を走る電車のように）。あるいは、現在は、時間がもつ長さの先端にあるのでしょうか（まるで生長する木の芽のように）。いずれにしても、なぜ、そしてどのようなしかたで、そんな特異な時点があるのでしょうか。

現在は、私たちが生きている現場であり、私たちにとってこの上なく身近にあります。にもかかわらず、現在は私たちに、時間をめぐるとらえがたい謎をつきつけているのです。

4 なぜ宇宙は存在するのか――存在論

ここまで、宇宙を成り立たせている空間と時間について考えてきました。ではそもそも、空間であれ時間であれ、一体なぜそんなものが存在するのでしょうか。空間や時間だけでなく、宇宙にある様々なもの、宇宙に生きている「私」、それらすべては一体なぜ存在しているのでしょうか。

「存在の表」というものを考えてみましょう。いろいろなものを、存在するものとしないもの、つまり、「あるもの」と「ないもの」に仕分けるための表です。

あるもの	ないもの

表のつくりはごく単純です。「あるもの」の欄には、あるもの（存在するもの）を書きます。「ないもの」の欄には、ないもの（存在しないもの）を書きます。

「あるもの」の欄には何が入るでしょうか。空間や時間を入れてもいいですし、宇宙に生きている「私」を入れてもいいでしょう。それから富士山やエッフェル塔を入れてもいいですし、有名人の名前、動物の名前を書いてもいいでしょう。（どれくらい大きな欄があれば、ぜんぶ書ききれるでしょうか。）

「ないもの」の欄には何が入るでしょうか。黄金でできた惑星、月の住人、バットマンのような架空の人物やキャラクター、それからペガサスのような架空の生き物も入るかもしれません。（こちらも、どれくらい大きな欄が必要でしょうか。）

何をどちらの欄に入れるのかは、人によって異なるでしょう。すなわち、何が「あるもの」で、何が「ないもの」なのかは、明らかではないかもしれません。

しかしとにかく、重要なのは次のことです。つまり、誰が存在の表を書いたとしても、「あるもの」の欄には必ず何かが入っているということです。すべてが「ないもの」の欄にあり、「あるもの」のほうは空欄ということはけっしてありません。「あるもの」として、少なくとも何か一つは挙げられます。そのことは疑いようもなく確かなのです。

そこでこのように問うことができます。「それはなぜなのだろうか。なぜ何もないのではなく、何かがあるのだろうか」。

この問いを最初にはっきりと提起したのは、一七世紀の哲学者ゴットフリート・ライプニッツ（Gottfried Leibniz）だといわれています。

ライプニッツは、「すべての物事には理由がある」という原理の提唱者でもありました（この原理を「充足理由律」といいます。充足理由律が正しいかどうかということも興味深い問題なので、考えてみてほしいと思います）。

もしすべての物事には理由があるという原理が正しければ、何もないのではなく、何かがあるということにも、きちんと理由があるはずです。ライプニッツはその線で考えましたが、はたしてどうでしょうか。何もないのではなく、何かがあるということには、理由があるのでしょうか。

理由があると考えるのは、困難な道かもしれません。たとえば、何かがあるのは、その何かをあらしめる力（存在させる力）があるからだというような理由を考えたとします。すると、存在の表でいう「あるもの」のほうに、「あらしめる力（存在させる力）」を含めたことになります。そうなると、「その「あらしめる力」を含めて「何かがある」のはなぜか」ということの理由が説明できなくてはなりません。その説明のためにあらしめる力を持ちだすと、「あらしめる力を含めて何かがあるのはなぜかというと、あらしめる力があるからだ」と説明することになってしまいます。これは説明になっているでしょうか。このように、理由があると考えると、その理由がある理由もまた求められるため、一筋縄ではいかない問題が生じてくるのです。

こうした困難を避けて、何もないのではなく、何かがあるということには理由がない、と考える道もあります。理由のない事実があるということを、認めてしまうわけです。そこで考えることをやめないとすれば、どんなことが考えられるでしょうか。理由のない事実があるのはなぜかという理由についてなら、考えられるかもしれません。それから、理由のない事実はほかにもあるかということについても、考えられそうです。考えることは尽きず、哲学は終わることがありません。

宇宙が成り立つためには、空間や時間などよりもまず、あるものとないものの区分がなければなりません。この区分があったうえで、「あるもの」どうしが集まり、宇宙は成り立っています。

何よりもまず、あるものとないものの区分があります。存在の表が示すような区分があります。なぜ、このような区分があるのでしょうか。

いえ、「あるもの」と「ないもの」の区分が「ある」という言い方はおかしな表現です。この区分が「ある」と言うと、存在の表の「あるもの」の欄の中に、「存在の表」そのものを含めてしまうことになります。存在の表が示す区分は、「あるもの」の欄の中に入るものの一つではありません。あるものとないものの区分そのものだからです。だから、この区分が「ある」と言うことはもはやできません。

空間よりも時間よりも何よりもまず、あるものとないものの区分があることの謎。なぜこの区分があるのかと問うことができないなら、どう問えばよいのでしょうか。

5 知識と科学

1 はじめに――いまが夢だったとしても確かなことか

ルネ・デカルト（René Descartes）は『省察』の中で、いまが夢かどうか考えてみると、世界は本当は夢かもしれないという気持ちになるし、そしてそのことにとても驚く、と書いています。面白いのは、にもかかわらず、デカルトは、夢であっても疑うことができないものがあるはずだと考えた点です。皆さんはどう思いますか。夢の中でもあいかわらず疑うことができないものがあると思いますか。

デカルトは、夢の素材になるものは、現実でも夢でも同じだ、と考えました。夢を作り上げるための部品になるもの、たとえば、色や形、ものの広がりといったものです。また、それら材料だけを用いた学問である数学は、現実と夢で共通しているとしています。たしかに、色や形がまったくない夢というものを見たことがありませんし、そんなものを仮に見たとしても夢を見たことにはならないでしょう。デカルトは、夢を作り上げるための材料となるものは、現実世界と共通であり、夢であるというだけでは疑うことができないのだと考えたわけです（もちろん、夢の材料や数学も、その後に登場する「悪霊の懐疑」によって疑いの対象とされ、最後に「我思う故に我あり」が残ることになります）。

ここで、デカルトの夢についてとりあげたのは、哲学的な議論においては結論だけでなく、考えのプロセスにも注目した方が良いことを示すためです。私たちはどうしても結論部分、この場合で言えば、「我思う故に我あり」にだけ注目してしまいます。しかし、考えのプロセスに注目することで、デカルトの議論全体を正しく評価することもできますし、デカルトの議論を離れて「夢」について考えることもできるようになります。最後の結論には同意できるが、デカルトの考えたプロセス自体には文句がある、といった場合もあるでしょう。哲学プラクティスの現場でも、こういったやり取りがあるかもしれません。結論は同意するが、その理由（正当化のプロセス）は違うといったケースです。私たちは哲学に関する理論を知ることで、議論の適切なやり方というものも学べるかもしれません。

2 「知っている」ってどういうことか

（1）思い込みと知識は違うのか

私たちは日常の中で何かを思い悩んだり、様々なことを考えたりします。その中には後から振り返ってみると、正確でない情報に基づいていたり、単なる思い込みで先走ってしまったりといったことがよくあります。小さい頃に自分の家での習慣を世界中の誰もが同じようにやっていると思い込んでいたり、誰か友達が言った情報を鵜呑みにしてしまったり。みなさんもこんな経験があるのではないでしょうか。

単なる思い込みと正確な知識には何か違いがあるように感じます。しかし、その違いの基準はどのようなものなのでしょうか？　あらゆる哲学的問題がそうであるように、この区別を正確に述べようとするとなかなか難しいことが分かります。

単なる思い込みとちゃんと知っていることを皆さんはどのように区別しますか。

(2) 知識の三つの条件ってなんだ

この問題に対するもっとも知られた見解は、哲学者のプラトンの著作に登場する見解です。プラトンによれば、知識と呼ばれるためには三つの条件が必要です。その三つの条件とは、真であること、正当化されていること、信念であること、です。

この定義自体は、プラトンを批判するために論者が定式化したものです。そのためプラトン自身がどの程度この定義を信じていたかはわかりません。しかし、この三つの条件は、私たちの日常的な感覚にもそれなりに即したものに思えます。もう少し詳しく見てみましょう。

先ほど自分の家での習慣を世界中の誰もがやっている、という思い込みを紹介しました。思い込みであるとしても、そのように信じているのですから、これがある種の信念であることに間違いはありません。「信念」というと、ふつうは宗教的な考えや政治的な信条のことを指しますが、知識に関する哲学では、なにか考えたり思っていることであれば、どんなことでも「信念」と呼びます。

では、この信念はどのような点で知識とは違うのでしょうか。一つは真実であるかどうかという点です。先ほどの三条件の最初の条件「真であること」に適合しないということですね。これは比較的理解しやすいと思います。真実でないことを信じていた場合、それは単なる思い込みであって、知識や「知っている」とは呼べないわけです（ここで、「真であるとはどのようなことか」と聞きたくなるかもしれませんが、しばらくお待ち下さい。真実や真理については、次の節で取り上げたいと思います）。

では友達の言った情報を鵜呑みにしてしまうというケースはどうでしょうか。ある友達が「今日来る転校生は女の子だよ」と言ったとしましょう。いいかげんなことをよく言う子どもらしい少年です。もちろん、その発言も適当です。実際にその日、女の子の転校生がやってきたとしても、それはまぐれ当たりです。このとき、「彼の発言をもとに自分がそのことを知っていた」というわけにはいかないでしょう。まぐれ当たりで特に根拠がない信念は、仮にそれが事実であったとしても、知識とは言えません。先程の三つの条件のうちの二つ目「正当化されている」条件にひっかかっているわけです。「正当化」の条件によれば、知識とは、適切な根拠をもとにしてそれを信じているということが必要だということになります。

つまり、先程の三つの条件をもう少し日常的な言い方で言い直すならば、根拠をともなって真実であることを信じていること、これが知識であるということになります。

いかがでしょうか。皆さんの日常的な感覚とこの知識に関する定義は適合しているでしょうか。それとも、根拠をともなって真実であることを信じているにもかかわらず、ちゃんと知っているわけではないような事例が思いつくでしょうか。

3 そもそも真理とはなにか

哲学に関する歴史がそうであるように、この三つの条件に対しても様々な批判や反論が加えられ、様々な考えが発展してきました。この三条件を手がかりにしながら考えていきましょう。

(1) 些細な真理と深遠な真理

最初に取り上げるのは真実や事実、あるいは真理という言葉について、です。「真理」という言葉は、なんだか大変重々しいもののように思われます。私たちは、そもそも「真理」などというものにたどり着くことができるのでしょうか。皆さんはどう思われますか。

こう言うと、そんなことはとても無理だ、と答えたくなります。しかし、ここで一つ注意が必要です。哲学の研究者が「真理」や「真実」と言う場合、そこには些細な真理も入っていることが多いということです。「駅前のデパートの名前は〇〇である」とか「二〇一八年一二月一八日の東京は晴れであった」ということも真理の一つです。「1+1=2」や「水は一〇〇度で沸騰する」、「織田信長は本能寺で死んだ」も真理です。その意味では、昨日のお天気の情報も、歴史に関する記述も、「万物は流転する」という命題も真理の候補としては同じ身分を持っています。しかし、これは正しいのでしょうか？ 真理には何らかの階層や種類のようなものがあると、皆さんは思われますか。

(2) 真理であるとは何によって決まるのか

ところで、真であるとはどのようなことなのでしょうか。これは「何が真理か」や「(様々な候補の中で)どれが真実か」という疑問ではありません。そもそも「真である」とか「真理だ」と私たちが言っているときに、何が想定されているのでしょうか。

最初に思いつくのは次のような答えかもしれません。私たちの信じていること(信念)や発言は、その内容に対応する事実が成り立っているときはどんなときでも真理である、というものです。これはここまでの記述でも暗に前提にされていることでした。女の子の転校生の事例でも、友達の言ったことと実際に起こったこと（事実）が対応していたからこそ、その友達の発言は「真理」だったわけです。真理の「対応説」と呼ばれる考え方です。

ところで、先に挙げた「水は一〇〇度で沸騰する」をもう少し詳しく見てみましょう。この命題を理解するためには、「一〇〇度」が「摂氏一〇〇度」のことであり、条件は「気圧一」のところ…といった背景となる知識なしには無理そうです。つまり、「水は一〇〇度で沸騰する」という真理は明らかに他の知識（真理）によって支えられています。対応説が、（信念）内容と世界（内の事実）との関係性を重視するのに対して、整合説と呼ばれる立場では、知識や信念同士の関係性を重視します。つまり、ある信念が真理かどうかは、その信念が属する体系が整合的であるか否かに依存すると考えるのです。そのため、整合説では、「水が一〇〇度で沸騰する」が真理であるのは、その背景にある科学的知識の体系が整合的であるからだ、ということになります。対応説が、世界内の事実がわれわれの知識から独立に成立していると考えるのに対して、整合説では、そのような独立の事実を考える必要はなく、知識や信念の整合性を調べれば真理を発見できると考えるわけです。

皆さんは対応説と整合説のどちらに説得力を感じますか。あるいは、他の考え方を思いつくでしょうか。

（３）絶対に疑えないものがこの世にあるのか

さて、次のような問いを考えてみましょう。あなたは、あなたがいま夢を見ていないということをどのように証明したらよいのでしょう。この問いは哲学史上とても有名な問いの一つです。仮にいまが夢の世界であるとするならば、私たちの信じているほとんどのことが真理ではなく、もちろん、知識でもない、ということになるでしょう。映画『マトリックス』は夢とは違う形の、しかし同じような疑いをもたせる状況を扱っています。

今いる世界は夢かもしれないという疑いは、おそらく昔から多くの人に抱かれてきた疑問でしょう。荘子の「胡蝶の夢」にもその一端が垣間見られますし、デカルトの『省察』では、「絶対に疑えないことはあるか」という問いとともに、夢について議論されています。皆さんは、いまが夢でないと証明できると思いますか。また、絶対に疑うことのできない真理があると思いますか。

デカルトは「ある」と考えました。この考え方は「我思う故に我あり」という言葉とともに広く知られています。私が何かについて考えている間は、私が存在しているということを疑うことができない、ということを表現しています。たしかに、私が本当は存在しないのではないか、と疑っているときにさえ、その疑っている私は存在しています。私が存在していない状態を想像する場合も、たいていは、私の姿かたちをした人がこの世からいなくなるところを想像しているだけで、想像している「私」は空中から俯瞰的にその状況を眺めているのではないでしょうか。

それにしても、この結論は朗報なのでしょうか。「絶対に疑えないものなんてあるのか」という問いに対して、たとえば、「愛」とか「友情」、「お金（は絶対に裏切らない）」とかを期待していたのに、「私だけ」なんて、ちょっとさみしい気もします。ただ、デカルトが疑えないものを探す思考に導かれたのは、本気でいまが夢かもしれないと疑ったからではありません。そうではなく、あらゆる知識の土台となるものとして、絶対に疑うことができないものを見つけようとしたからでした。どちらかといえば、日常の知識の正しさを守るためにあえて疑っていき、一番確実な土台を見つけようとしていたのです。そのため、デカルトがこの命題以外を真理でないと考えていたわけではありません。

4　真実にたどりつくために頼りになるものはなにか

（1）知識の中には基礎的なものとそうでないものがあるのか

さきほどご紹介したデカルトの考え方のプロセスを少し俯瞰的に見てみましょう。そこでは、第一に、最も確実な知識をいくつか手に入れ、第二に、見つかった確実な知識から新しい知識を導き積み上げていくという方法がとられていました。「正当化」という言葉を使うなら、確実な知識をもとにして、つぎの確実な知識を正当化していこうとしています。

このような考え方は「基礎づけ主義」と呼ばれています。知識にはその確実性によってランキングがあり、より確実なもののほうが知識としてより基盤になっているという考え方です。皆さんはどう思われるでしょうか。私たちの知識の中には、全体の土台になるような基礎的な知識があり、それらを根拠にして他の知識が積み上がっていく。言ってみれば、根拠の連鎖には順序があって、その底にはすべての知識の土台となる知識がある。そんな風になっていると思いますか。仮に基礎的な知識があるとすると、それはどのような知識なのでしょうか。

(2) 知識を得るために必要なのは経験か、それとも…

知識の土台になるのは、デカルトとは違い、私たちが感覚を通して経験することなのだ、と考える人たちもいました。たしかに、「私にはいま白いものが見えている」ということは、基礎となる知識の候補になるように思われます。私たちが知識を得る時に感覚などの経験を利用することは至って普通のことでしょう。デカルトが基礎づけ主義を採用し、その最も確実な知識の土台として「考える私」を置いたのに対し、この立場では土台として「経験」を置くわけです。

このような考え方をもとに経験論や経験主義などと呼ばれる哲学が発展していきました。経験主義が現在の自然科学の研究法と親和的であることは容易に見て取れることかと思います。つまり、様々な実験を行い、その観察の結果を積み重ねていくという方法です。

みなさんは、真実にたどりつくためにどのくらい経験を重視するでしょうか。頭で理性的に考えることのほうが確実に真実に近づく方法だと思いますか。それとも、経験やそれ以外のものが必要なのでしょうか。

5　真理や知識の追求は科学にまかせておけば良いか

私たちが知識にたどりつくためには何にたよればよいのでしょうか。みなさんが最初に思いつく答えは「科学」かもしれません。現代社会における科学の影響力は非常に強いものです。何らかの信念が「科学的でない」とか「非科学的だ」ということになれば、それは真理や知識の名に値しないものだとみなされるほどです。逆に、「科学的証拠がある」と言われてしまうと大して確かめもせずに正当化されたと思い込んでしまう傾向もあります。

（1）科学ってなんでそんなに正しいのか

しかし、なぜそんなに科学は正しいのでしょうか。学生にこのような質問をすると、実験や観察をして結論を出しているからだ、という答えが出てきます。あるいは、有名な雑誌（「Nature」等）で論文が審査されているから、といった少し詳しい答えも聞かれます。たしかに多くの科学、特に自然科学と呼ばれる諸分野で実験や観察は欠かせないものですし、「科学的な仮説が実験によって確かめられた」といった言い方をすることもあります。何かの現象に対して仮説をたて、それを検証するために実験を繰り返しデータをとり自然法則を明らかにする。これは自然科学に関する普及したイメージですよね。

ところで、この一連のプロセスには、いわゆる帰納的推論のプロセスが入っています。そのため、絶対確実というわけにはいきません。ある法則が成り立っているという仮説を立てて実験を行ったとしましょう。実験を一〇〇回繰り返し、すべてでその法則通りになったとしても、「その法則がいつでもどこでも必ず成り立つものである、疑いなく成り立っている」とまでは断言することはできません。その一〇〇回がたまたまである可能性もあるからです。明日には太陽が西から昇るかもしれない、というわけです。

なんだかうがった見方ですね。皆さんはどう思われますか。

ただ、科学が正しいと私たちが信じている理由が、科学的知識が絶対確実であることが実験や観察によって証明されているからだ、というものであるならば、ここには重要な問題が隠れているということになるでしょう。

(2) 科学がエラい理由ってなんだ

しかし、私たちが科学を信じている理由は、別のものかもしれません。「反証主義」と呼ばれる立場の人たちは、科学が他のものから区別されるのは、科学には反証可能性があるからだ、と考えました。

反証可能性とは、ある事柄の反対が証明される可能性のことです。ある法則があったときに、それが科学的なものであるか否かは、その法則に反する事例(反証)が見つかる可能性があるか否かによって決まる、と考えます。

ポイントは二つあります。一つは、その法則が科学的であるかどうかは、それが確かめられているかどうかでは決まらないということです。つまり、「科学であるならば絶対確実であることが証明されている」わけではないのです。もう一つは、反証が実際にされているかどうかではなく、その可能性があるかどうかが重要だという点です。たとえば、「血液型によって人々の性格が分かる」という考えは、様々な調査によって偽であると反証されています。ある意味では、反証されたのですから、この考えは科学的仮説、間違いだと分かった科学的仮説であると考えることができます。しかし、そんな調査とは関係なく血液型占いは存在しつづけるでしょう。このとき、まさにこれは占いであって科学的仮説ではないということになります。占いに反証可能性はないのです。この考え方はいわば中身ではなく方法論によって科学とそれ以外を分けようとするものです。もしこれが正しいなら、知識を得るための正当化として科学的方法論を採ることは良いアプローチとなるでしょう。

(3)科学って、そんなにエラいのか

一方、科学が他の各分野と比べて特権的な地位を占めるわけではないと考える立場もあります。「パラダイム」という概念をご存知でしょうか。パラダイムというのは、その時代や分野に支配的な考え方やその枠組のことを指しますが、元々は、科学研究に関して提出された言葉でした。科学研究を行う際にもその時代ごとに支配的な考え方があり、それをもとに科学者は研究を進めていくということを表しています。これを「パラダイム論」と呼びます。パラダイムの内部では、パラダイム自体を揺るがすような研究はあまりなされません。あくまでもパラダイム内で課題とされていることをパラダイム内の通常の手続きにしたがって解いていくことがメインとなります。

ポイントは二つあります。一つは、パラダイムという考え方が実際の科学者たちのあり方、活動のしかたに注目しているという点です。科学者は、世俗のことに関わらずに真理を追求す

る孤高の変人というイメージは少し古いものです。実際は、論文の査読者に悪態をつき、研究費や研究室内の人間関係に悩む普通の人たちです。言ってみれば、科学というのは理論的なものであると同時に、実際に行われる社会的な活動でもあるのです。二つ目は、自然科学的知識が正しいのは特定のパラダイム内部だけの可能性があるということです。これはパラダイム論を極端に解釈した場合のものですが、科学は一直線に進歩していくというイメージとは違い、パラダイムごとに真理があり、現在の科学的知識も現在のパラダイムに即して正しいに過ぎない、と考える余地があります。

もちろん、科学をめぐっては、いまも様々な論争が続いています。皆さんは科学というものをどのように考えているのでしょうか。

6　本当に賢い人ってどんな人か

ここでは、知識について考える際に、いわゆる文字や言葉にできる知識（「命題的知識」と呼ばれます）だけを取り上げました。しかし、教科書を丸暗記している人が賢い人とは限らないように、私たちの知や知的な営み全般について考える際には命題的知識だけでは足りないように感じられます。命題的知識以外にどんな知識があるのでしょう。

その一つに「方法知」「技能知」と呼ばれる知識があります。たとえば、自転車に乗れる人は、乗る方法を知っているとは言っても、それを言葉で説明することは難しいでしょう。また、パソコンの操作法をよく知っている人は、マニュアルを覚えているだけではないでしょう。ある種のマニュアルや、やり方の教本を読んだだけでは足りない「やり方についての知識」のことを「方法知」と呼びます（英語では、know-how と言いますが、少し注意が必要です。日本語で「ノウハウ」というと、いわゆるマニュアルを意味しますが、ここで言う方法知はまさにそのマニュアルでは習得できない、言葉にできない知識の方を指します）。

これらの知識は、俗に「身体で覚える」と言われるような知識ですが、知的な営みにも深く関係しています。数学の知識がある人がまったく計算のやり方を知らないということは考えにくいでしょうし、実験を行う科学者はいくつもの方法知をもっていることでしょう。運動選手でもそのスポーツに通じていればいるほどスマートに（賢く）競技に参加することができます。加えて、方法知は学習することができます。命題的知識とは学習法や教授法に違いがありますが、名コーチと呼ばれる人々はこの方法知を伝える方法知をもっています。

このように、私たちが賢くなるためには、おそらく命題的知識だけでは足りず、何らかの方法知も手に入れる必要があるということです。より賢くなるために必要な知識とは具体的にはどのような知識なのでしょうか。

また、命題的知識や方法知以外にどんな種類の知識があると思いますか。

6 神と宗教

1 はじめに――神についての対話って、怖いですか

神や宗教についての対話は、誰かの信仰心や家庭のあり方を傷つける可能性が高いかもしれません。もちろんそれはファシリテーターが十分注意すべきことです。しかし、それは他のテーマであっても同じです。学校で神や宗教について語る機会がない、逆に自由に語れないということは十分考えられますが、子どもたちは自分にとっての神について考えることが好きです。日本ではほとんどの学校で宗教教育をしないからこそ、結構自由に考えています。

そこでの神は特定の宗教に限定された神ではなく、究極や無限といった高度なものと結びついています。宇宙が始まる前のことや、何でもできる存在といったものは、誰も経験したことがありません。しかしなぜだかそれについて思考することはできます。その不思議さに大人は慣れてしまっていますが、特に子どもはしつこく考えます。

人間の経験や能力の範囲を超えたものを、カントは「超越」と呼びました。カントは魂の不死や神の存在といった超越的な問いにとりくんで理性の限界に挑みましたが、対話においても特定の宗教で閉じるのではなく超越的な問い一般と結びつければみんなで対話しやすくなるでしょう。この節は神や宗教をあつかいますが、細かい知識よりも私たちの考える力の限界や限界を超えて考える創造性が試されているという意識の方が重要であることを忘れないで下さい。

2 神について考える、とはなにか

最初に、神について考えるということについて改めて考えておきましょう。みなさんは、「神」というとどのようなイメージを思い浮かべますか。白いローブを着たヒゲのおじさんを思い浮かべる人も多いかもしれません。

しかしそもそも「神をイメージする」とはどういうことでしょう。イメージするということは、「像」(かたち、イメージ)としてとらえること、すなわち視覚的にとらえられる対象にするということです。実はここに分かれ道があります。「神は、神よりも不完全な人間という存在によってとらえられる存在なのでしょうか。それとも人間ごときにはとらえられない存在なのでしょうか」。さらに問いは続きます。「もし神が人間にとらえられないなら、なぜ人間は神のようなものについて考えることができるのでしょうか」、「もし神について確実なことが何か知れたとしても、それでむしろ神を誤解している可能性はないでしょうか」

神を知ることがどれだけ可能か否か。ここには、「何かを知るということがなぜ可能か」、「知るとはどういうことか」という根本問題も現れています。超越的な存在である神について問うとき、わたしたちは超越的な思考に導かれます。さて大変だ、と思われるかも知れませんが、神を像化できる派とできない派に分けて二つのパターンで考えてみましょう。

3 多神教——神を像化しよう

神が人の姿をとった（つまり擬人化された）イメージとなるのは、日本や古代ギリシア・ローマやインドなど多くの文化が持つ多神教の宗教に多い特徴です。日本神話の天界では人間と同じく稲作をしています。神でさえ自然の恵みに与っているのです。ギリシアでは最高神ゼウス（ローマ神話のジュピター）は白いローブを着たヒゲのおじさんの形で彫刻や絵画になりました。私たちがイメージする神はゼウスもしくは後出のイエスでしょう。インドでもたくさんの神々がいましたが、後にブッダのように悟りに至った人々が「仏」となって彩りを添えました。仏は日本にも入ってきましたが、たくさんの神の中の外国の神として受け入れられ、土着の神々と混合されていきます。

では逆になぜこれほどたくさんの神が必要なのでしょう。現在のわたしたちにとってもそうですが、地震や病や死といった出来事はどれだけ清く正しく生きていようが突然襲ってくる「わけのわからないこと」（非合理）であり「人の力ではどうにもできないこと」（超越）でもあります。こうした非合理や超越は哲学対話の問いにもなりますが、当時の人々は非合理や超越の背景に神々の営みを想定し、神話を作って納得することを選びました。多神教の神話はいわば非合理の合理化という役目を担っており、だからこそ神は分かりやすいものでなければならず、つまりは容易にイメージ化できる必要があるのです。

ただし合理化といっても、現代の我々から見ると古代の神話はけっこう非合理です。私たちは科学の時代を生きていますから。では科学が発達すれば完全に合理的にこの世界の非合理や超越を説明できるのでしょうか。クイズならば説明されればスッキリしますが、この私の生についての問いに対して「あなたは親から生まれたから存在し、細胞の寿命が来ると死にます」といった答えは的外れです。もしも科学によって人が死ななくなったとしても、そもそもなぜ私は存在するのか、死とはなにかといった非合理や超越への問いからは解放されないでしょう。ですから、超越的な問題に対して、超越的な存在である多神教の神々によってとりあえずの説明を試みることにはそれなりの効用が認められるでしょう。

ここでの発展的な問いは以下の通りです。私たちが直面する非合理に対して「なぜ合理的な説明を求めてしまうのか」、「多神教の神が死ぬのはなぜか（神が逆らえないものとは）」、「科学は現代の神話か」。

4――一神教――神は像化できない

ユダヤ教、キリスト教、イスラームは、すべて同じ唯一神を信じる一神教です。これら三つの宗教は兄弟宗教とか、アブラハムの宗教とも呼ばれますが、兄弟共通の父である唯一神についての解釈が異なるためいまだにその名の通り兄弟喧嘩をしています。

一神教の神は万物の創造主であり人間を超越した絶対的な存在で、人間ごときに似ている必要は全くありません。そして人間の能力の範囲内で把握できるものでもありません。では神は不可知なのでしょうか。

まず神は全能者ですから、あえて自らを人間にとらえられる姿にまで次元を落として実際に人間界に顕われることも可能です。それがイエス・キリストです。

イエスという例外を除けばどうでしょう。クセノファネス（Xenophanes）は「馬に絵を書く能力があれば馬の神は馬に似ているだろう」と言って多神教の神々は人間が人間に似せて作り出したものにすぎないことを指摘し、「唯一の神は、人間たちや、（人間が作り出した）ギリシアの神々とは姿や考えも全く似ていない」と述べました。ここに「神は～ではない」という否定的な語りが出てきます。これは後のトマス・アクィナスなどがとりあげる「否定の道」（否定神学）という接近方法です。

安易に「神は〜である」と言えない以上、これも一つの道でしょう。神は視覚などの感覚に直接与えられませんが、不思議なことに「神とはなにか」を考えたり、「神は〜であってはならない」と考えることはできます。大事なことは、ここでは神そのものを像化しないかわりに、神がそれを通して何かしら現れてくるものすなわち思考とか言葉といったものに焦点をあてているということです。実際、聖書やコーランは神の言葉として与えられたとされていま す。ならば、思考（理性）とか言葉は、何かしら特別で、人間だけが持っている、神に似た能力だと言えるかもしれません。

ここでの発展的な問いは以下の通りです。「思考と言葉はどう関係するか」、「なぜ神は言葉として現れるのか」、「感覚より思考の方が優れているのか」、「感覚と思考は全く別物なのか」、「一神教の神は、他の神々を排除する必要があるのか」。

5 神についての問いあれこれ

神についての根本的な態度を紹介しましたので、ここからは具体的な問いと哲学史的な答えについて考えてみましょう。

神様って本当にいるのか

予想に反するかもしれませんが、神の存在を否定することは難しいです。一般に、「ない」ことを証明するのは「ある」ことを証明するより非常に大変だからです。神が存在しないと主張するには神がいると思わせること一切を否定できなければいけませんが、神がいると主張するには何か一つでも材料があればいいからです。しかし神がいるという主張の中には、不死とか復活とか常識では受け入れられない非論理的な主張が含まれており、それらを納得できないと神の存在は受け入れにくいでしょう。

キリスト教の誕生（一世紀〜）後に活躍したテルトゥリアヌス（Tertullianus）（二世紀頃）は、論理的に正しいことはしょせん人間が理解できる範囲での正しさだと考え、論理で理解できないことこそむしろ人間の理性を超えた神の領域に関わることではないかと期待しました。逆転の発想です。彼は「不合理ゆえに我信ず」という言葉を残したと言われます。

彼の態度はいわば「逆張り」にも思えますが、神への信仰を「賭け」に例えたのが哲学者・数学者であったパスカルです。「神を信じたのに実は神などいなくて死後に何も起きない」ことと「神を信じずやはり神などいなくて死後に何も起きない」ことはどちらもあまり損をしませんが、「神を信じて神がいたので死後に天国に行ける」ことと「神を信じなかったが神がいたので地獄に行く」ことは大きな差があるため、俗な言い方をすると結局神を信じるのが最もお得な賭けだというわけです。

　このように論理を超えたものへ賭けのように飛び込む信仰の世界もありますが、理性の力でなんとか論理的に証明したという例もあります。トマス・アクィナス（Thomas Aquinas）（『神学大全』第一部第二問第三項）やカント（『純粋理性批判』第三章）による整理が有名ですが、カントに従って四通り紹介しましょう。

①宇宙論的証明

　この宇宙のあらゆる出来事はすべて原因と結果で互いに結びつけることができる、としましょう。どんな結果にも原因があり、その原因を究極まで遡ればたった一つの原因へ到達するはずです。アリストテレスは、この究極の原因を「第一原因」と呼びました。第一原因がなければ宇宙には何の出来事も生まれず静止したままなのです。すでに私たちが生きている宇宙は変化にあふれているので、第一原因が他の何者かによって動かされることなく（動かされたら第一原因ではなくなります）この宇宙を動かし始めたという自明の事実が導かれます。何者からも動かされず動かすという存在は、動かし—動かされるという因果関係の中に置かれたあらゆる存在とは違って特別です。アリストテレスは、それを神とか不動の動者と呼びました。「究極の根源は1つなのか」、「結果にはかならず原因があるのか」、「何かをしようとしたとき、その原因は私の意志か」。

②本体論的証明（存在論的証明）

大雑把に言うと、「人間が『もっとも偉大なるもの』を考えられる。ゆえに神は存在する」というアンセルムス（Anselmus）による証明です。我々は神について知らなくても、最も偉大な存在について考えてみることはできます。なぜでしょうか。最も偉大な存在である神が人間を生んだからです。もし最も偉大な存在が実在しないのなら、そんなものについて考える人間の理性は全く信用ならなくなってしまいます。アンセルムスは、思考の中に存在することから現実に存在する（実在する）ことを導いています。「思考されていないものは実在するか」、「思考と現実の関係は」、「世界（時間、歴史、性別、心など）は実在するか、思考の中にしかないのか」。

③目的論的証明（自然神学的証明）

世界は何者かが目的をもって創造したとしか考えられないという立場です。地球の誕生と生命の誕生から人類の登場など偶然ではありえない点を挙げられるか、生命の奇跡的な営みなど神の業の痕跡を見つけられるかが重要となります。このとき目的を持ってある方向へ動かしたと捉えれば宇宙論的証明と重なりますが、宇宙論の神が最初の一手しか介入しないのに対して目的論では人間の不完全な歩みをその都度、善なる方向へ修正する神が考えられがちです。「なぜ神は世界に関心があるのか」、「神にとって善い世界とは」、「神の最初の一手は完璧ではなかったか」。

④道徳論的証明

カントは、論理によって神の存在を証明することができたとしても、その逆もまた論理的に証明できることから論理的な証明の道を放棄しました。そうではなく、道徳的な行為の中で感じる幸福から、この幸福の由来として神が「要請」される（なくてはならない）と考えました。パスカルのところでも出ましたが、神は私たちの行為に報いを与える存在なのでしょうか。

6　その他の様々な立場

（1）神義論（弁神論）

神義論とは神にとっての正義とは何かを問うものです。一見神は正義に反することをしているように見えるので、それを弁護するので弁神論とも呼ばれます。ここでは「神を信じているのに辛い目にあうのはなぜか」と「なぜ神が作った世界に悪があるか」を弁護しましょう。

まず神は信じるものを救う、という前提は人間が勝手に決めたものであって、神がそれを律儀に守る義理はありません。神に正義があるとして、それは人間の考える正義と同じとは限りません。神を信じた者を地獄に送るということさえ、人間にとって非合理に思えるだけであって神はそのような決定をする自由を制限されませんし、人間から非難される筋合いはありません（旧約聖書「ヨブ記」を参照）。ここでは、「神は自ら定めた決まりを破る自由はあるのか」「神は不自由になる自由もあるのか」といった問いが考えられます。

また、そもそもなぜ神は人間が悪を成すように創造したかという難問については、五世紀の哲学者・神学者アウレリウス・アウグスティヌス（Aurelius Augustinus）が答えています。人間は神のように全能者ではありませんから、自由意志（〜したいと意志する力）が不完全であり、善いと思ったことができなかったり誤った選択だったりするだけだと考えました。これを悪ではなく「善の欠如」と呼びます。たとえば「病気のお母さんのためにあのパンを盗もう」と判断した自由意志は、母の命をつなぐという善なる目的へ向かっていますが、そのために誤った手段をとっています。また、「神に仕えるため聖書を暗記したい」と意志しても、実現できるとは限りません。自由意志と達成されることのズレは人間において重要な問題だということが分かります。「悪とは何か」、「いつ意志が達成されたといえるか」、「自由意志は本当に自由か」。

（2）予定説

神はあらゆる人間が救われるか否かを予め決めており（予定）、それを覆すことは無いという考えです。予定説を唱えた宗教家ジャン・カルヴァン（Jean Calvin）は自由意志を否定し、一見自由に思えても実は神が定めた通りに生きていると考えています。マルティン・ルター（Martin Luther）も自由意志を否定しましたが、それは人間の不完全な自由意志は自己中心的で欲望に振り回される弱点をもっているからで、むしろそんな自由意志を捨てる自由を行使して神に服従して生きることが本当の自由だと説いています（『奴隷意志論』）。カルヴァンの予定説も自由意志を否定しますが、誰かが信仰をもつかどうかも神の定めた運命に従うので「救われたいから信仰しよう」という決断をいちいち神が評価し決定を翻したりしないと考えています。「予定を覆すことも神の予定なのか」、「神は予定を覆せないのか」。

（3）理神論

神は創造のみに関わり、あとは創造されたものが自力で発展していくという考えです。予定説はいつかくる救済とセットですが、理神論はただ最初の創造にのみ神を必要としているわけです。ここでの神は、宇宙が存在するという謎を解決する役割だけがあたえられ、あとは人間の発展の陰においやられています。

しかし、そのとき神は無作為に創造したでしょうか。ドイツの哲学者・数学者ライプニッツは、神が世界を創造するときには当然無数の可能性をもっていて、その中から最善のもの（つまりこの世界）を選んだと考えました（最善世界説）。ゆえにあたかも神ぬきで科学によって人間が発展しているように見えても、それは神が意志した通りのことであり、人間が自由に動いて発展させた歴史は、神が予め意図した歴史とはうまく調和していると考えました（予定調和説）。たしかに偉大な発見は往々にして「世界はうまくできているなぁ」と思わせるものですが、「それ実は予め神がデザインしたからだよ」と言われると後出しでずるい感じもあります。ただ、今は遺伝子レベルで人間を再デザインすることができるようになりはじめていま す。これは神の業を超えることなのでしょうか、それともまだまだ神の用意したブロックで遊んでいるだけなのでしょうか。「神は全て予定通りになってつまらなくないのか」。

7 神にまつわるQ&A

最後に、神にまつわる問いをQ＆Aで紹介しましょう。

Q. 神は世界を創造する前は何してたの。

A. 「創造する前」は存在しません。なぜなら神は世界とともに時間と空間を作ったからです。ですからその「前」は原理的に存在しないのです。でも神は存在していますよね。時間と空間は、我々人間がその中で生きている枠のようなもので神にその枠は適用されません。では、なぜわざわざ時間と空間にしぼった低次元の世界を作ったのでしょうか。実は別の次元の世界もあるのでしょうか。

Q. 神は本当になんでもできるの。

A. 神は全能者ですが、全能ゆえに有り得ないことまで可能にしなければならないのかは問題になります。例えば「神は重すぎて自ら持ち上げることができない石を作れるか」という難題です。実際に作って持ち上げられなければ全能ではないし、作れなくても全能ではありません。このように全能者に自己矛盾を突きつける難題を全能者のパラドクスと言います。これをクリアできれば、あなたには神の素質があります。さてどうすればいいでしょうか。

全能者は人間には想像もできないような解決方法をとれるので常識に縛られないで考えて下さい。例えば石すべてに浮遊する性質を与えれば重すぎても持ち上げられます。重いとか持つとかいうことの定義を変更したり、世界から石や重さの概念を消したり、そんな難題を考えた不幸な天才ごと世界を消してすぐ作り直すこともできます。「持ち上げられないことができる」というのも神の能力の一つであると解釈することもできます。

このようなパラドクスを考えることを通して、全能であることの理解が深まるでしょう。他にも自己矛盾を起こすパラドクスの例として「不自由を選ぶ自由はあるか？」、「差別主義者を差別できるか」などが考えられます。みなさんも何か作れますか。

Q. 神様に名前はあるの。

A. 親が子を名付ける例から考えるとわかりますが、名付けられる側よりも名付ける側の方が上の立場となります。しかし神はこの世界に存在して名付けられうる諸々のものとは同格ではなく、それらを創造した存在（創造主）なのでいわば親であり、名前を授ける側なのです。そんな神に名前があるかわかりませんし、あったとしても人間に可能な発音の範囲や可聴音域に制限されるものでありません。

それゆえ例えば、ユダヤ教では神の名「ヤハウェ」を言う事が禁じられています。とらえがたい神の存在よりも、身近に接することができる神の名前（具体的には文字や音）の方を崇拝することを禁じるためでしょう。東洋でも、仏教の一派である密教では、神の真の名前（真言）を音としてそのままとらえることで人間の言葉による意味付けや翻訳を回避しています。

神の名に関する議論を「神名論」と言いますが、ここにも理性の限界に挑む問いがたくさんあります。「名前をつけるとはどういうことか」、「名前がないものを思考できるか」、「自分で名乗ったものは名前といえるか」、「名前をつける権利はあるのか」。

第5章 付録

付録では、（1）海外の現状、（2）哲学プラクティスに関する関連書籍、（3）関連団体の三つを紹介します。すでにこの本の様々なところで書かれているように、哲学プラクティスは日本で様々な形で行われ、広がりを見せています。同じことが哲学プラクティスの歴史を長く持つ海外の様々な国でも起こっており、非常にユニークな実践や、それを支えるためのサポート団体・制度、実践者・研究者のための書籍などがあります。この本の付録では、そのすべてを取り上げることはできませんが、哲学プラクティスを行うにあたって特に重要であると考えられているものに焦点を当てて紹介していこうと思います。

また、後半では哲学プラクティスを実践する者、参加する者、または調査者として参加しようとする者が気をつける必要のある、基本的な倫理基準について、そしてオンラインでの哲学対話についても、紹介します。

1 海外の現状

1―海外の現状

今日、哲学プラクティスは様々な形で、様々な分野で応用・進化・改良・実践されています。哲学プラクティスはもともと西洋諸国を中心に発展してきた実践でしたが、ここ数十年のうちに日本を含めたアジア・中東諸国（韓国、台湾、イラン等）、アフリカ諸国（南アフリカ等）、南米諸国（アルゼンチン、ブラジル、メキシコ等）など、世界中の様々な国でも広がりを見せています。それは、単に哲学プラクティスがすべての人に開かれているというだけでなく、いま多くの国で起きている政治的・経済的・教育的な危機（戦争、貧困、教育の不平等など）のなかで、人々が一度立ち止まってゆっくり考える機会を作る哲学プラクティスは大切であるということを人々が強く意識し始めてきたということでもあります。

ここでは、そうした世界の色々な国で行われている哲学プラクティスのほんのごく一部を紹介します。特に、海外における哲学プラクティスの用いられ方として（1）学校内外の教育活動としての哲学プラクティス、（2）分断された社会における民主主義の実践としての哲学プラクティス、（3）相談（カウンセリング）としての哲学プラクティス、（4）カフェにおける哲学プラクティス、（5）その他（哲学ウォーク等）の五つを取り上げます。

この付録を読むにあたって注意して欲しいことが二つあります。一つは、哲学プラクティスはここで紹介する活動以外にも様々な形や種類があるということです。哲学プラクティスは、「どんなところで、なぜ行われているか」「だれが行なっているのか」「だれが参加しているのか」という三つが混ざり合ってデザインされ、実施されるものです。ある特定の場所や地域では、ここで紹介する五つのタイプには全く当てはまらないような哲学プラクティスの実践もあります。もし、これを読んでいるあなたが考えている哲学プラクティスと、ここで紹介する世界の哲学プラクティスが違うものであったとしても、自分が間違っているなどとは思わずに、あなた自身のオリジナルな哲学プラクティスを大切にしてほしいと思います。

二つ目は、この付録ではどの国の実践が優れている（いない）ということを紹介するものではないということです。この章では海外の様々な成功例を取り上げることもありますが、そうした色々な実践が成功に至るまでには様々な問題を乗り越えてきたという歴史がありますし、一見成功に見えても、まだまだたくさんの課題があるということもあります。また、海外と日本では、受験の有無など、教育を取り巻く文化・文脈・制度・政治的背景などが大きく異なるため、海外の実践がいくら優れているように見えたからといって、それをただ日本でまねてみても、あまり効果的ではないでしょう。もちろん、それでも私たちが海外の例から学ぶことはたくさんあります。何と言っても、海外では日本より二〇〜三〇年も前から哲学プラクティスを行なってきたという経験の蓄積があります。これらの蓄積の一部を見ることによって、私たちは日本で行われている（あるいは行われようとしている）哲学プラクティスを様々な角度から見直すことができるようになるでしょう。本書の付録は、そのような形で活用してもらえればと思っています。

2　学校内外の教育活動としての哲学プラクティス

最も広く世界中で行われている哲学プラクティスとして、学校内外で行われる子どもの教育活動である「子どもの哲学 Philosophy for/with Children: P4C/p4c/PwC」が挙げられます。すでに本書の中でも書いてあるように、子どもの哲学は、一九七〇年代にアメリカの哲学者リップマンとその同僚が始めた実践であり、答えが一つに定まらないような哲学的・倫理的な問いについて、みんなで一緒に考えながら問いを深めていくという対話の活動です。現在子どもの哲学は六〇以上の国や地域で行われており、そうした世界的な広まりを受けて二〇一五年には、世界の子どもの哲学の理論と実践を報告したハンドブックが出版されています。

これまで、子どもの哲学は様々な理由から教育関係者の注目を集めてきました。たとえば、子どもの哲学は答えがなかなか出ないような問いに対して諦めずにしつこく考え続けることを子どもたちに促します。そのことで、子どもたちの批判的な思考力を育てるだけでなく、自分の思考を吟味したり見つめなおしたりしながら新たな考えに行き着く創造性に関する思考を育てます。そうした対話を可能とするために、すべての人が安心して対等なものとして対話ができるよう努力する気遣い・ケアに関する態度も養うことができます。日本を含め、世界中の国ではいま、これまでの知識詰め込み型の教育から、他人と協力しながら目の前の問いに一緒に対処していく探究型・協力型の教育へのシフトが起きており、子どもの哲学はそうした流れが求めるニーズに応えることができる手段の一つであると考えられます。

一九六〇年代にアメリカで始まった子どもの哲学は、その後世界の様々な国に広がってゆきます。国や地域によっては、リップマンが開発した子どもの哲学を独自に改良・発展させ、その国の教育の現状に合わせて実践してきたところもあります。最近では、教師主導の教育の文化がきわめて根強く残っているアジア・太平洋諸国（日本、中国、韓国、フィリピンなど）でも子どもの哲学への関心が高まっており、二〇〇九年の国連のユネスコのレポートでも、これらの国々における子ども哲学や哲学教育の重要性が書かれています。

ここで、近年の子どもの哲学の発展についての具体的な例の一つとして、オーストラリアについて紹介しましょう。一九八〇年代にリップマンとその同僚のアン・シャープ（Ann Sharp）がオーストラリアを訪問し、そこでいくつかのワークショップを開きました。そのワークショップに参加したロレンス・スプリッター（Laurance Splitter）は子どもの哲学に大きな可能性を見出し、リップマンとともに研究を重ね、一九八五年にオーストラリアの様々な公立学校で子どもの哲学を試験的に実践し、わずか二年で七〇校近くの学校で実践を行ないました。この時期オーストラリアでは、移民政策の影響から学校に多様な背景・国籍を持つ子どもが増えたことや、国のカリキュラムのなかに「批判的思考」の項目が追加されたことから、多くの学校の先生は新たな教育方法の開発に頭を悩ませており、その中で子どもの哲学が注目を集めるようになったという背景があります。

スプリッターは、後にオーストラリアの子どもの哲学を牽引する研究者や教員（たとえば、ティム・スプロッド（Tim Sprod）、フィリップ・キャム（Phillip Cam）、ギルバート・バーラ（Gilbert Burgh））などと積極的な交流を行い、「オーストラリア子どもの哲学協会」を設立しました。彼らは、はじめリップマンの作った哲学テキストをつかって実践をしていましたが、子どもたちがあまりにも退屈そうにしていたという不評を受け、独自のテキストの開発や絵本を使った実践の開発などを行なってきました。

その後、「オーストラリア子どもの哲学協会」は「オーストラリア子どもの哲学連合協会(Federation of Australian Philosophy in School Association: FAPSA)」と名前を変え、オーストラリアの各州(ノーザン・テリトリーを除く)に支部を置き、子どもの哲学のファシリテーション研修や、教員と研究者が共に考え合う学会の設立などを先導してきました。

中でも、ファシリテーション研修はとてもユニークなものです。研修はレベル1(初心者向け)、レベル2(レベル1研修の講師のための研修)の二つがあり、参加者が対話の実践だけでなく哲学的な背景を学ぶことができるように研修プログラムが組まれています。この研修では、講師が一方的に知識やノウハウを教えるだけではなく、現場で働く教師たちが現在抱えている課題や、新しい教材の開発や実験などを共同で行なっていきます。もちろん、これらの哲学対話の教員研修は対話形式で進められています。現在この研修方法は、ニュージーランドやシンガポールでも取り入れられており、各国の子どもの哲学の普及に大きな役割を果たしています。

こうしたFAPSAのサポートなどもあり、現在オーストラリアの各州にある学校では子どもの哲学が次々と導入されています。例えば、クイーンズランド州にあるビューランダ州立学校は、オーストラリアの子どもの哲学を説明する際によく挙げられる学校の一つです。ここでは学校で行われるあらゆる授業の中に哲学対話の要素を取り入れられるようにカリキュラムを編成し、教員も上記の研修を受けるように強く推奨されています。つまり、この学校では学校全体を通して子どもたちが哲学や哲学対話を経験できるような仕組みが作られているのです。ビューランダ州立学校に代表されるように、オーストラリアの哲学対話は単に教室内で行うだけでなく、学校全体で、様々な授業の中で取り入れようという姿勢が強く見られます。そのため、オーストラリアでは通常「子どもの哲学」や「哲学対話」という言葉よりも「学校の哲学 Philosophy in Schools」という言葉の方を頻繁に用いています（写真1）。

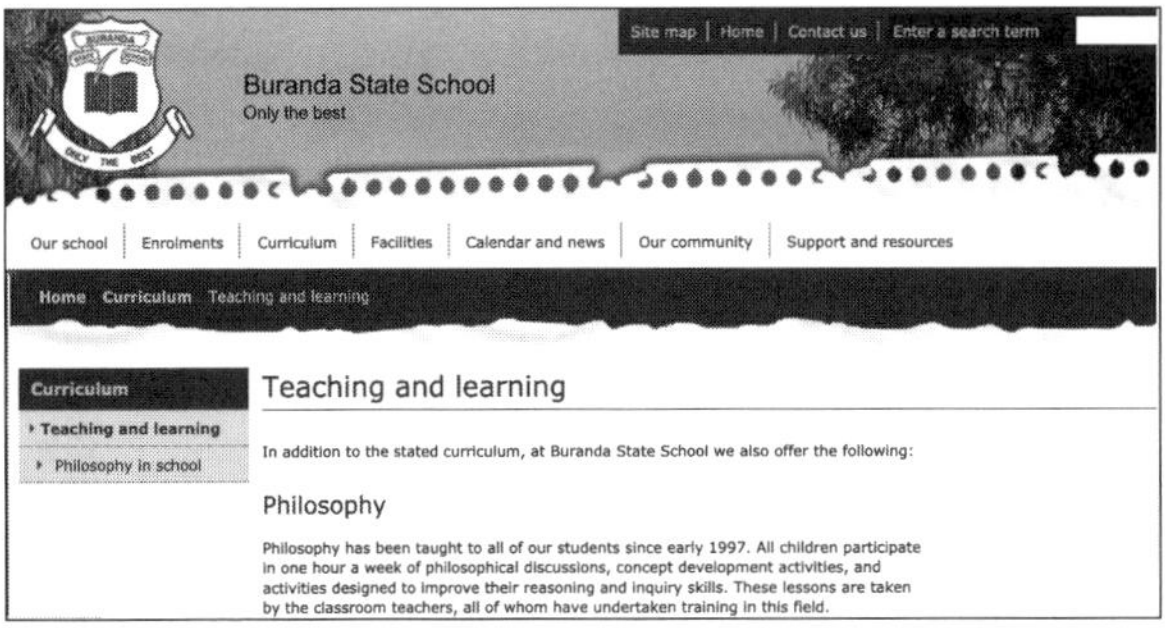

写真1　ビューランダ州立学校のホームページにおける「哲学」の項目

　オーストラリアのFAPSAに見られるように、いま世界では子どもの哲学の普及・発展・開発などを教師一人に押し付けるのではなく、同じような悩みや関心を持った人々が集まりながら一緒に実践を作っていこうする動きがとても活発に見られます。今では、様々な国で類似の団体が発足されてきています（第5章3節関連団体とサイトを参照）。

　このように、子どもの哲学は学校の中に、授業活動の一環として導入されることもありますが、時には伝統的な学校教育に対するある種の挑戦という形で取り入れられることもあります。ブラジルやメキシコで哲学プラクティスや子どもの哲学の実践を行う哲学者ウォルター・コーハン（Walter Cohan）は、現在の学校教育があまりにもせかせかしすぎており、そうした中では子どもたちがゆっくりと考えたりするような余裕がなくなってしまうことを問題視しました。その上で、学校の中に「時間のゆとり」「なにもないこと」「ゆっくりすること」を作り上げる実践として子どもの哲学を導入し、その実践を行なっています。同様のことはアメリカのハワイでも行われています。ハワイのトーマス・ジャクソン（Thomas Jackson）をはじめとする実践者・教師たちも、「あわてない・急がない」をスローガンに掲げながら、現代の学校の中で子どもたちと哲学をし、自由に考えることを楽しむ実践を行い続けています。

さて、これまで学校の授業活動の一環として行われている子どもの哲学を取り上げてきましたが、子どもの哲学は、何も学校の中だけで行われているわけではありません。海外では、様々な目的のもとで子どもたちと学校の外で哲学対話をするような活動が盛んに行われています。たとえば、もともと自然教育・環境教育の蓄積が多くあるカナダでは、子どもたちを森林や自然公園などに連れてゆき、自然の中で対話をするという活動が行われています。子どもたちは、伐採された木の前で座り、自然破壊や環境問題などについて問いを出し、森と共に対話をしたりします。また、先に取り上げたオーストラリアでは、FAPSA の支援を受けながら

「フィロゾソン（Philosothon）」と呼ばれる活動が行われています。これは、オーストラリアの各地域にある学校の生徒たちが集まって他校の生徒たちとチームを組みながら共通の哲学的な問いについて考える、哲学対話のイベントのようなものです。ここでは、生徒たちの対話は哲学対話のプロ（哲学の博士号を持った人など）たちによって評価・点数化され、その点数を競い合い、最も優秀な対話のコミュニティを決めるというものです。

現在日本でも学校内外で様々な子ども哲学の取り組みがなされていますが、海外でもこのように実に色々な実践が行われているのです。

3　分断された社会における民主主義の実践としての哲学プラクティス

子どもの哲学の実践とやっていることはほとんど一緒ですが、社会にある様々な問題にもっと直接的に立ち向かうために行われる哲学プラクティスの実践もあります。この類の実践では、それが実践されている社会や地域に何らかの不正義や不平等（貧困、民族・人種の対立、戦争など）があることが多く、哲学プラクティスはそうした問題の中にある、自分たちの生活に直結した哲学・道徳・倫理的なテーマ（「なんで人って争うのか」など）について人々が考え、何かアクションを起こすための土台をつくるための実践として見なされています。つまり、いくつかの国では哲学プラクティスは民主主義のための実践として用いられてきたということです。ここでいう「民主主義」は、議会とか投票などの政治形態を指すものではなく、「異なる背景を持つ人々が違いを認め合いながら、共に生きるにあたってその妨げとなる課題・不正義を一緒に解決していくプロセス」として考えてください。

人類の長い歴史の中で宗教的、政治的、経済的な対立と分断が絶えず行われてきたイスラエルはその一つの例です。イスラエルでは度重なる戦争のなかで、多くの子どもたちが親を失ったり、貧困の状態にあったりします。そうした中で、イスラエルとパレスチナの国境沿いにある小学校では、親を失ったり人のことが信じられなくなってしまった子どもたちや、差別を受け続けている女の子が、彼・彼女らの状況を改善できるようになることを目指して、子どもの哲学をカリキュラムの中に導入しました。

子どもの哲学の国際学会（ICPIC）の会長を務めたアリエ・キゼル（Arie Kizel）は、こうしたイスラエルの中で子どもと共に哲学対話を実践しており、どのようにしてマイノリティ（少数派）の子どもたちがマジョリティ（多数派）の子どもたちとともに対話ができるようになるかを考え続けています。彼によれば、マイノリティの子どもたちや女の子は、たとえ哲学対話を用いてもマジョリティの子どもたちや男の子とは決して対等になれないということを、これまでの経験からうすうす感じており、子どもたちがお互いに尊重しあいながら対話をするようになるためには長い時間がかかるようです。それでもなお、様々な困難を抱えるイスラエルでこうした哲学対話が導入されたということは一つの大きな前進であり、今後どのようなことが起きるかに注目が集まっています。

長い間、人々の間の対立があるハワイもまた、子どもの哲学や哲学プラクティスが重要な役割を果たした例としてよく挙げられます。ハワイのカイルア地区は、経済的な格差や人種間の対立が絶えず生じていたこともあり、かつてハワイの中でも治安の悪い地域の一つでした。白人は白人と、黒人は黒人とだけと関わりを持ち、また現地に長く住むハワイアンがもつ白人への憎悪や嫌悪感はとても深いものでした。また、人種差別だけでなく、子ども達の家族の間に大きな経済的な格差も大きな問題となっており、それによって同じグループの中でも大きな断絶があり、カイルア地区は二重・三重の分断がある地域として見なされていました。

そんな中で、アンバー・マカイアウ（Amber Makaiau）という教師が子どもの哲学をカイルア地区の一つの高校に持ち込みました。そもそも、この高校では「他人との対話なんてやってられない！」という雰囲気が強くあるような学校でしたが、アンバーは我慢強く対話の活動を続けていきました。ある時にはまさにその地区の対立の原因の一つとなっている「人種」や「アイデンティティ」を哲学対話のテーマとして用い、対話の中で争いや対立が起きそうになっても、アンバーたちは相手に質問し、それぞれの人の意見を聞き合うように促しつづけました。その後も、ハワイの哲学対話の実践者のトーマス・ジャクソンらの実践的な支援を受けながら、カイルアの高校では哲学対話が繰り返し行われ、最終的にはその地域での子ども・若者同士の対立が減少するというところまで行き着いたとされています。

結局のところ、断絶や対立の根にあったのは、これまで相手の話を大真面目に聞いたことがないという点にあり、哲学対話はそのような機会を子どもたちに与えながら、分断された地域をよりよいものへと変えていくための基礎を作り上げたと言えるでしょう。

4 哲学相談としての哲学プラクティス

これまでは主に子どもに焦点を当てた哲学対話・哲学プラクティスの海外の実践や報告を紹介してきましたが、哲学プラクティスは、もともとは哲学対話を通した大人同士のやりとりを念頭に置いたものでした。海外ではこの哲学相談（哲学カウンセリング）を仕事とする専門家などもおり、その需要や役割も少しずつ知られるようになってきています。

哲学相談と心理学的カウンセリングは共通点も多くあります。心理学的カウンセリングは人の心の状態について、認知・行動・感情の関係に注目をしながらクライアントが持つ悩みや問題に対して見つめ直すことを助けるものです。それとは異なり、哲学相談はクライアントが抱える問題の哲学的な側面や、クライアントがその問題をどのように説明しようとしているかという論理の構造などに着目をします。哲学相談の国際的な団体である全国哲学相談協会

(NPCA) によれば、哲学相談は、「クライアントが持っている信念や、世界に対するものの見方の哲学的な側面を明らかにし、クライアント自身がそれを言葉にし、考え、そして理解することを助ける活動」であるとしています。クライアントは、自身の人生の中で起きた危機や転機(たとえば転職や失業、ストレス、身体的・精神的な病気、職場の同僚や友人とのうまくいかなさ、誰かの死、老い、裁判、離婚、生きることの意味といった事柄)に関係する哲学的な問題を一緒に考えるために哲学の実践者と一緒に話し合いをします。

クライアントが持つ色々な哲学的な問題に対して、哲学相談では①クライアントが自身の問題についてどのように説明をするかをよく聴く、②その問題の中心となっている哲学的な言葉や概念に対してクライアントはどのような定義をするか、どのように分析をしているかを聴く、③クライアントの説明の背景にどのような思い込みや論理的な意図があるかを説明する、④その問題に密接に関する哲学(者)の議論を紹介するといった形で、クライアントがもつ哲学的な課題を明らかにし、クライアントが自分自身を見つめ直す機会を作ります。

ちなみに、哲学相談の実践者は、誰でもなれるわけではありません。全国哲学相談協会では、カウンセラーは少なくとも哲学の修士号以上を持っていないといけないと規定しているほか、心理学や心理学的カウンセリングの手法、よく聴くための技術、時には教育学の理論や手法などにも精通している必要があるとしています。そのため、全国哲学相談協会では哲学相談の実践者のためのトレーニング講習（たとえば「ロジック・ベース・セラピー（LBT）講習」と呼ばれるものなど）や講習の受講証明書の発行などを行なっています。

もともと哲学相談はクライアントが哲学者のところに直接訪ねていき、一対一で相談をするというものでした。しかし、最近ではインターネットやスマートフォンの技術の発展などによって、ロシアのヴィクトリア・チェルネンコ（Victoria Chernenko）をはじめとした実践者たちの中には、スカイプなどのオンライン通話を通した哲学相談などを積極的に行なう人もいます。それによって、遠く離れた国に住む人同士が相談をする機会が増えるようになり、哲学相談はより身近なものになりつつあります。

5　カフェにおける哲学プラクティス

哲学プラクティスは世界中のカフェでも行われています。いわゆる「哲学カフェ」と呼ばれるものです。日本でも近年、カフェフィロなどの団体を中心に各地で哲学カフェが行われています。一般的には、哲学カフェは市民（子どもを含む）と哲学者がカフェにあつまり、哲学的なテーマについてコーヒーを飲みながら考え合うというものですが、その具体的な方法は国や地域によって大きく異なります。

哲学カフェはもともとフランスから始まったと言われています。ずっと昔からの似たような実践はあったと言われていますが、特に哲学カフェが世界に広まりを見せるようになったきっかけを作ったのはフランスの哲学者マルク・ソーテです。ソーテは一九九〇年代にパリのバスティーユ広場にあるカフェ・デ・ファールというカフェで哲学カフェを始めました。その後もソーテの実践を継いだ哲学者たちがカフェ・デ・ファールや他のカフェで哲学カフェの実践を続けてきました。筆者（西山）が二〇一六年にカフェ・デ・ファールを訪れた時も、哲学カフェが行われていました（写真2）。

写真２　カフェ・デ・ファールの哲学カフェの様子（西山撮影）

この日のテーマは「芸術と感情」で参加者は四〇名ほどでした。ファシリテーター役の哲学者は、まず美に関する哲学の理論や議論を紹介し、そのあとに参加者たちといくつかの絵を見ながら、どのような感情がなぜ生まれるか、その感情は芸術とどのように関連しているのかなどを議論しました。ずっと話を聞きながらコーヒーを飲む参加者もいれば、積極的にマイクを持ち議論に参加する参加者もいるなど、さまざまな参加者がいました。

カフェ・デ・ファールの哲学カフェはファシリテーターとしての哲学者が講義をしたあとにみんなで対話をすると

写真3　カンボジアの哲学カフェの様子（河野撮影）

いうものですが、哲学カフェは必ずしもそのようなスタイルのものばかりではありません。イギリスやフランスに起源をもち、その後数々の国で行われている哲学カフェの一つである、「デス・カフェ」では、参加者はコーヒーを持ちながら席に座り、「死」について考えますが、そこにはファシリテーターなどは特におらず、参加者自身が対話をファシリテートしあうというスタイルをとっています。イギリスで行われている哲学カフェの応用である「パブ・フィロソフィー」では、その名の通りお酒を飲む場所（パブ）でビールを片手にカントやデカルトなどの哲学者の議論や、社会問題についての哲学対話が行われています。

さらに最近では、フランスやイギリスのように西洋諸国ほどカフェの文化が根付いていないような国や地域でも哲学カフェが行われるようになってきました。たとえば最近ではカンボジアや中国やシンガポールなどでは定期的に哲学カフェが開催されています（写真3）。これらの国ではしばしば人種的分断や言論統制などによって人々の生き方そのものが脅かされていたり、それらによって特定の人々が傷ついているという状況があり、そうしたなかで自由で平等な話し合いや思考を重んじる哲学対話の価値が少しずつ見直されています。先に、哲学対話は、分断された社会の民主主義の再生に使われるということを書きましたが、これらのアジア諸国で哲学カフェや哲学対話の実践が広まりつつあるのは、決して偶然ではないと言えるでしょう。

6 その他

哲学プラクティスは他にも様々な方法で行われています。その中でもユニークなものは、「哲学ウォーク」と呼ばれる実践です。これはオランダの哲学者ピーター・ハーテローが考案した、哲学プラクティスと歩くことを融合させた実践です。

第2章6節でハーテローのやり方を紹介しましたが、それにこだわる必要はありません。さまざまな国で、いろいろなやり方で実践されています。歩くことと、考えること、対話することを結びつけ、部屋のなかで座って話し合うのとは異なった考え方や話のやり取りが生まれ、歩き方や見たり聞いたりする知覚の仕方が普段とは異なれば成功なのです。一見変わった実践ですが、普段考えないような哲学の言葉に触れる機会があったり、なによりも哲学的に考えながら歩くことで普段自分が見ている風景を全く異なる角度からみることができるようになるといった様々な面白さがある実践です。この哲学ウォークの実践はハーテローの住むオランダだけでなく、日本やカンボジアなどでも行われています。

ほかにも、哲学プラクティスは演劇やロール・プレイと組み合わせて行われることがあります。たとえば、アメリカで行われた劇場型哲学プラクティスでは、ある映画のワンシーンを取り上げ、それを途中まで上映し、参加者は自分が考えたその後の展開についてパフォーマンスを行います。その後参加者全員で自分が行なった演技や他者の行動について議論を行います。こうした活動は「国際哲学プラクティス学会（ICPP）」などでも頻繁に報告・上演されています。

他にも哲学プラクティスは、企業などビジネスの場（アメリカなど）、図書館（ドイツなど）、さらには孤児院、病院、映画館といった様々な場で行われている他、そのやり方も、歌や詩づくり、言葉を使わない対話（サイレント・ダイアローグ）、科学的な事柄に関する対話など、様々です。世界のこのような多様な実践は、哲学プラクティスの可能性を大きく広げてくれることでしょう。

2　関連書籍

ここでは、哲学プラクティスの本や、実践で使われている教材・絵本などを紹介します。【子ども哲学に関する本】【哲学カフェに関する本】では、それぞれの場面での対話の進め方やファシリテーションの仕方も説明されていて参考にできると思います。【教材に適している本】では、子どもの哲学で使いやすい絵本を紹介しています。他にも【哲学プラクティス一般に関する本】【海外の本（未翻訳）】【哲学プラクティスに関する雑誌】【4章（テーマに関する哲学）の関連書籍】を紹介します。

【子ども哲学に関する書籍】

伊藤潔志編（2017）『哲学する教育原理』教育情報出版

伊藤潔志編（2018）『哲学する保育原理』教育情報出版

お茶の水女子大学附属小学校、お茶の水児童教育研究会（2019）『新教科「てつがく」の挑戦―〃考え議論する〃道徳教育への提言』東洋館出版社

川辺洋平（2018）『自信をもてる子が育つ　こども哲学』ワニブックス
河野哲也（2014）『「こども哲学」で対話力と思考力を育てる』河出書房新社
河野哲也（2018）『じぶんで考えじぶんで話せるこどもを育てる哲学レッスン』河出書房新社
河野哲也・土屋陽介・村瀬智之・神戸和佳子（2015）『こどもの哲学　考えることをはじめた君へ』毎日新聞出版
河野哲也・土屋陽介・村瀬智之・神戸和佳子・松川絵里（2018）『この世界のしくみ　子どもの哲学2』毎日新聞出版
杉田正樹（2018）『ぼくたち、なんで生きているんだろう　実況「子どもの哲学教室」』電波社
高橋綾・ほんまなほ（2018）『こどものてつがく　ケアと幸せのための対話』（シリーズ臨床哲学4）大阪大学出版
土屋陽介（2019）『僕らの世界を作りかえる哲学の授業』（青春新書インテリジェンス）青春出版社
東京都高等学校公民科「倫理」「現代社会」研究会（2018）『新科目「公共」「公共の扉」をひらく授業事例集』清水書院
苫野一徳（2019）『ほんとうの道徳』トランスビュー
森田伸子（2011）『子どもと哲学を―問いから希望へ』勁草書房
ギャレス・マシューズ著、鈴木晶訳（1996）『子どもは小さな哲学者　合本版』真思索社
ギャレス・マシューズ著、倉光修他訳（1997）『哲学と子ども　子どもとの対話から』新曜社
p4c みやぎ出版企画委員会（2017）『子どもたちの未来を拓く探究の対話「p4c」』東京書籍
フィリップ・キャム著、桝形公也監訳（2015）『共に考える　小学校の授業のための哲学的探究』萌書房

フィリップ・キャム著、衛藤吉則訳（2017）『子どもと倫理学―考え、議論する道徳のために』萌書房
マルテンス・エッケハルト著、有福美年子・有福孝岳訳（2003）『子供とともに哲学する―ひとつの哲学入門書』晃洋書房
マシュー・リップマン著、河野哲也・土屋陽介・村瀬智之監訳（2014）『探求の共同体―考えるための教室』玉川大学出版部
マシュー・リップマン、アン・マーガレット・シャープ、フレデリック・オスカニアン著、河野哲也・清水将吾監訳（2015）『子どものための哲学授業』河出書房新社

【哲学カフェに関する本】

小川仁志（2011）『哲学カフェ！』祥伝社
鷲田清一監修、カフェフィロ編（2014）『哲学カフェのつくりかた』（シリーズ臨床哲学2）、大阪大学出版会
クリストファー・フィリップス著、森丘道訳（2003）『ソクラテス・カフェにようこそ』光文社
マルク・ソーテ著、堀内ゆかり訳（1996）『ソクラテスのカフェ』紀伊國屋書店
マルク・ソーテ著、堀内ゆかり訳（1998）『ソクラテスのカフェII』紀伊國屋書店

【教材に適している本】

書籍
土屋陽介監修（2016）『こころのナゾとき』全3巻、小学1・2年用、小学3・4年用、小学5・6年用、成美堂

オスカー・ブルニフィエ著、西宮かおり訳（2006–2007）『こども哲学シリーズ 人生って、なに？』ほか、朝日出版社
オスカー・ブルニフィエ著、藤田尊潮訳（2011–2012）『こども哲学シリーズ生きる意味』ほか、世界文化社
シャロン・ケイ、ポール・トムソン著、河野哲也監訳（2012）『中学生からの対話する哲学教室』玉川大学出版部
デイヴィッド・ホワイト著、村瀬智之監訳（2016）『教えて！哲学者たち―子どもとつくる哲学の教室〈上下〉』大月書店

絵本

内田麟太郎（1998）『ともだちや』偕成社
佐野洋子（1977）『１００万回生きたねこ』講談社
シゲタサヤカ（2012）『オニじゃないよおにぎりだよ』えほんの杜
谷川俊太郎（2014）『かないくん』東京糸井重里事務所
長谷川義史（2007）『ぼくがラーメンたべてるとき』教育画劇
ヨシタケシンスケ（2013）『りんごかもしれない』ブロンズ新社
ヨシタケシンスケ（2014）『ぼくのニセモノをつくるには』ブロンズ新社
アーノルド・ローベル著、三木卓訳（1972）『ふたりはともだち』文化出版局
シェル・シルヴァスタイン著、倉橋由美子訳（1979）『ぼくを探しに』講談社
シェル・シルヴァスタイン著、村上春樹訳（2010）『おおきな木』あすなろ書房
ニコライ・ポポフ著（2000）『なぜ、あらそうの』ＢＬ出版

パヴロフ・フランク著、藤本一勇訳（2003）『茶色の朝』大月書店
マクドネル・パトリック著、谷川俊太郎訳（2005）『おくりものはナンニモナイ』あすなろ書房
河野哲也（2019）『対話ではじめる子どもの哲学―道徳ってなに？』全四巻、①自分のぎもん（絵：はまのゆか）、②家族・友だちの疑問（絵：こばようこ）、③社会のぎもん（絵：はまのゆか）、④命・自然のぎもん（絵：こばようこ）、童心社

【哲学プラクティス一般に関する本】
梶谷真司（2018）『考えるとはどういうことか　0歳から100歳までの哲学入門』幻冬舎
河野哲也（2019）『人は語り続けるとき、考えていない―対話と思考の哲学』岩波書店
齋藤元紀（2015）『現代日本の四つの危機　哲学からの挑戦』講談社選書メチエ
田中さをり（2016）『哲学者に会いにゆこう』ナカニシヤ出版
苫野一徳（2017）『はじめての哲学的思考』筑摩書房
堀江剛（2017）『ソクラティックダイアローグ―対話の哲学に向けて』（シリーズ臨床哲学3）、大阪大学出版会
ピーター・ラービ著、加藤恒・岸本晴雄・松田博幸・水野信義訳（2006）『哲学カウンセリング―理論と実践』法政大学出版

【海外の本（未翻訳）】
子どもの哲学に関する本

Fisher, Robert.（2008） *Teaching thinking: Philosophical Enquiry in the Classroom* [3rd Edition]]. London, New York: Continuum.

Gregory, Maughn., Haynes, Joanna., & Murris, Karin.（Eds.）（2016） *The Routledge International Handbook of Philosophy for Children*. New York: Routledge.

Kohan, Walter.（2014） *Philosophy and Childhood: Critical Perspectives and Affirmative Practices*. New York: Palagrave Pivot.

Lewis, Lizzy. & Chandley, Nick.（Eds.）.（2012） *Philosophy for Children through the Secondary Curriculum*. London, New York: Continuum.

Sprod, Tim.（2011） *Discussions in Science: Promoting Conceptual Understanding in the Middle School Years*. Victoria: ACER Press.

哲学プラクティスに関する本

Marinoff, Lou.（1999） *Plato, not Prozac: Applying Eternal Wisdom to Everyday Problems*. New York: Quill.—

Nelson, Leonard.（1965） *Socratic Method and Critical Philosophy*. New York: Dover Publications, Inc.—

実践書

Cam, Phillip., Fynes-Clinton, Liz., Harrison, Kathlyn., Hinton, Lynne., Scholl, Rosie., & Vaseo, Simon.（2007） *Philosophy with Young Children: A Classroom Handbook*. ACT: ACSA.

Lipman, Matthew.（1974） *Harry Stottlemeier's Discovery*. Chicago: Institute for the Advancement of Philosophy for Children.

Lipman, Matthew.（1978） *Suki*. Chicago: Institute for the Advancement of Philosophy for Children.

Lipman, Matthew.（1982） *Kio and Gus*. Chicago: Institute for the Advancement of Philosophy for Children.

Lipman, Matthew.（1988）*Elfie*. Chicago: Institute for the Advancement of Philosophy for Children.
Lipman, Matthew.（1989）*Pixie*. Chicago: Institute for the Advancement of Philosophy for Children.
Lipman, Matthew.（1990）*Harry Stottlemeier's Discovery*. Chicago: Institute for the Advancement of Philosophy for Children.
Lipman, Matthew.（1998）*Lisa*. Chicago: Institute for the Advancement of Philosophy for Children.
Sharp, Ann., & Splitter, Laurance.（2000）*Discovering Our Voice. A Manual to Accompany Geraldo*. ACER Press.
Worley, Peter.（2016）*40 Lessons to Get Children Thinking: Philosophical Thought Adventures Across the Curriculum*. Bloomsbury Education.
Worley, Peter.（2016）*The If Machine: Philosophical Enquiry in the Classroom*. London: Continuum.

【哲学プラクティスに関する雑誌】

哲学プラクティス連絡会公式機関誌『みんなで考えよう』、『みんなで考えよう』編集委員会（2017–現在）
日本哲学プラクティス学会『対話と思考』（2019–現在）
Analytic Teaching and Philosophical Praxis（1980–現在）
Childhood & Philosophy（2005–現在）
Creative and Critical Thinking（1993–2007）
Journal of Philosophy in Schools（2014–現在）
International Journal of Philosophical Practice（2012–2015年）
Philosophical Practice: Journal of the American Philosophical Practitioners Association（2008–現在）

【4章（テーマに関する哲学）の関連書籍】

1節「人生と生き方」

参考図書

アンドレ・コント＝スポンヴィル著、木田元・小須田健・C・カンタン訳（2002）『哲学はこんなふうに』紀伊國屋書店

ゲルハルト・エルンスト著、岡本朋子訳（2017）『哲学のきほん』早川書房

ナイジェル・ウォーバートン著、月沢李歌子訳（2018）『若い読者のための哲学史』すばる舎

原典案内

アラン著、神谷幹夫訳（1998）『幸福論』岩波書店

アリストテレス著、高田三郎訳（1971, 1973）『ニコマコス倫理学　上・下』岩波書店

アルトゥール・ショーペンハウアー著、西尾幹二訳（2004）『意志と表象としての世界　Ⅰ・Ⅱ・Ⅲ』中央公論新社

イマヌエル・カント著、中山元訳（2012）『道徳形而上学の基礎づけ』光文社

エピクロス著、出隆訳（1959）『エピクロス―教説と手紙』岩波書店

エリック・ホッファー著、田中淳訳（2014）『波止場日記　労働と思索』みすず書房

カール・ヒルティ著、草間平作訳（1961）『幸福論　（1）』岩波書店

カール・ヒルティ著、草間平作・大和邦太郎訳（1962, 1965）『幸福論　（2）（3）』岩波書店

J-P・サルトル著、伊吹武彦訳（1996）『実存主義とは何か』人文書院

セーレン・キルケゴール著、桝田啓三郎訳（1996）『世界の名著〈第40〉』中央公論社
バートランド・ラッセル著、安藤貞雄訳（1991）『幸福論』岩波書店
プラトン著、納富信留訳（2012）『ソクラテスの弁明』光文社
フリードリッヒ・ニーチェ著、氷上英廣訳（1967）『ツァラトゥストラはこう言った　上・下』岩波書店
ブレーズ・パスカル著、前田陽一・由木康訳（1973）『パンセ』中央公論新社
マルクス・アウレーリウス著、神谷美恵子訳（2007）『自省録』岩波書店
マルティン・ハイデガー著、細谷貞雄訳（1994）『存在と時間　上・下』筑摩書房
モーリス・メルロ＝ポンティ著、中島盛夫訳（1982）『知覚の現象学』法政大学出版局

2節「政治と社会」

参考図書

岡野八代・内藤正典編（2013）『グローバル・ジャスティス』ミネルヴァ書房
小川仁志（2010）『はじめての政治哲学』講談社
押村高・添谷育志編（2003）『アクセス政治哲学』日本経済評論社
アダム・スウィフト著、有賀誠・武藤功訳（2011）『政治哲学への招待』風行社
ロバート・タリース著、白川俊介訳（2018）『政治哲学の魅力』関西学院大学出版会

原典案内

アーネスト・ゲルナー著、加藤節監訳（2000）『民族とナショナリズム』岩波書店
アントニー・D・スミス著、巣山靖司・高城和義訳（1999）『ネイションとエスニシティ』名古屋大学出版会

カール・マルクス著、向坂逸郎訳（1969–1970）『資本論（1）〜（9）』岩波書店
J・S・ミル著、斉藤悦則訳（2012）『自由論』光文社
ジョン・ロック著、角田安正訳（2011）『市民政府論』光文社
ジョン・ロールズ著、川本隆史・福間聡・神島裕子訳（2010）『正義論〈改訂版〉』紀伊國屋書店
トマス・ポッゲ著、立岩信也訳（2010）『なぜ遠くの貧しい人への義務があるのか』生活書院
ベネディクト・アンダーソン著、白石隆・白石さや訳（2007）『想像の共同体』書籍工房早山
マイケル・J・サンデル著、菊池理夫訳（2009）『リベラリズムと正義の限界』勁草書房
ヤン＝ヴェルナー・ミュラー著、板橋拓己訳（2017）『ポピュリズムとは何か』岩波書店
ユルゲン・ハーバーマス著、河上倫逸・M・フーブリヒト・平井俊彦訳（1985）『コミュニケイション的行為の理論〈上〉』未來社
ユルゲン・ハーバーマス著、藤沢賢一郎・岩倉正博・徳永恂・平野嘉彦・山口節郎訳（1985）『コミュニケイション的行為の理論〈中〉』未來社
ユルゲン・ハーバーマス著、丸山高司・丸山徳次・厚東洋輔・森田数実・馬場孚瑳江・脇圭平訳（1987）『コミュニケイション的行為の理論〈下〉』未來社
ロバート・ノージック著、嶋津格訳（1995）『アナーキー・国家・ユートピア』木鐸社

3節「倫理と道徳」

参考図書

加藤尚武（1997）『現代倫理学入門』講談社

児玉聡（2012）『功利主義入門―はじめての倫理学』筑摩書房
御子柴善之（2015）『自分で考える勇気―カント哲学入門』岩波書店
佐藤岳詩（2017）『メタ倫理学入門―道徳のそもそもを考える』勁草書房
デイヴィッド・エドモンズ著、鬼澤忍訳（2015）『太った男を殺しますか?』太田出版

原典案内

アリストテレス著、渡辺邦夫・立花幸司訳（2015）『ニコマコス倫理学　上』光文社
イマヌエル・カント著、土岐邦夫・野田又夫・観山雪陽訳（2005）『プロレゴーメナ・人倫の形而上学の基礎づけ』中央公論新社
ジェレミー・ベンサム、JSミル著、山下重一・早坂忠・伊原吉之助訳（1967）『世界の名著〈第38〉ベンサム、JSミル』中央公論社

4節「宇宙と存在」

参考図書

青山拓央（2011）『新版　タイムトラベルの哲学』筑摩書房
石川文康（1995）『カント入門』筑摩書房
伊藤邦武（2007）『宇宙を哲学する』岩波書店
坂本賢三他著（1985）『新・岩波講座　哲学5　自然とコスモス』岩波書店
永井均（2004）『私・今・そして神―開闢の哲学』講談社現代新書
野矢茂樹（1998）『無限論の教室』講談社現代新書

アーサー・O・ラヴジョイ著、内藤健二訳（2013）『存在の大いなる連鎖』筑摩書房
アレクサンドル・コイレ著、野沢協訳（1999）『コスモスの崩壊 閉ざされた世界から無限の宇宙へ』白水社
エイドリアン・W・ムーア著、石村多門訳（2012）『無限―その哲学と数学』講談社
ジム・ホルト著、寺町朋子訳（2016）『世界はなぜ「ある」のか？：「究極のなぜ？」を追う哲学の旅』早川書房
ジョン・エリス・マクタガート著、永井均訳（2017）『時間の非実在性』講談社

原典案内

イマヌエル・カント著、中山元訳（2011）『純粋理性批判 5』光文社
ゴットフリート・ライプニッツ著、清水富雄訳（2005）「事物の根本的起源」『モナドロジー形而上学叙説』中央公論新社
ジョルダーノ・ブルーノ著、清水純一訳（1982）『無限、宇宙および諸世界について』岩波書店
ブレーズ・パスカル著、前田陽一・由木康訳（1973）『パンセ』中央公論新社
マルティン・ハイデッガー著、川原栄峰訳（1994）『形而上学入門』平凡社

5節「知識と科学」

参考図書

井山弘幸・金森修（2000）『現代科学論』新曜社
戸田山和久（2002）『知識の哲学』産業図書
直江清隆・越智貢編（2012）『知るとは（高校倫理からの哲学 第2巻）』岩波書店
野家啓一（2015）『科学哲学への招待』筑摩書房

バリー・ストラウド著、永井均監訳、岩沢宏和・壁谷彰慶・清水将吾・土屋陽介訳（2006）『君はいま夢を見ていないとどうして言えるのか』春秋社

原典案内

カール・ポパー著、藤本隆志・石垣壽郎・森博訳（2009）『推測と反駁―科学的知識の発展』法政大学出版局
ギルバート・ライル著、坂本百大・井上治子・服部裕幸訳（1987）『心の概念』みすず書房
トマス・クーン著、中山茂訳（1971）『科学革命の構造』みすず書房
プラトン著、藤沢令夫訳（1994）『メノン』岩波書店
プラトン著、田中美知太郎訳（2014）『テアイテトス』岩波書店
ルネ・デカルト著、谷川多佳子訳（1997）『方法序説』岩波文庫
ルネ・デカルト著、山田弘明訳（2006）『省察』筑摩書房

6節「神と宗教」

参考図書

井筒俊彦（2005）『イスラーム思想史』中央公論新社
菅野覚明（2001）『神道の逆襲』講談社
島薗進（2008）『宗教学の名著30』筑摩書房
末木文美士（2005）『日本宗教史』岩波書店
立川武蔵（2003）『空の思想史　原始仏教から日本近代へ』講談社
中村元（2011）『原始仏典』筑摩書房

本村凌二（2005）『多神教と一神教　古代地中海世界の宗教ドラマ』岩波書店
クラウス・リーゼンフーバー（2000）『西洋古代・中世哲学史』平凡社
クラウス・リーゼンフーバー著、村井則夫訳（2003）『中世思想史』平凡社

原典案内

井筒俊彦（1957–1958）『コーラン〈上〉〈中〉〈下〉』岩波書店
共同訳聖書実行委員会（1988）『小型聖書　新共同訳』日本聖書協会
上智大学中世思想研究所（1992–2002）『中世思想原典集成1〜19』平凡社
イマヌエル・カント著、篠田英雄訳（1961–1962）『純粋理性批判〈上〉〈中〉〈下〉』岩波文庫
トマス・アクィナス著、山田晶訳（2014）『神学大全　Ⅰ・Ⅱ』中央公論新社

3 関連団体とサイト

ここでは、哲学プラクティスの実践を支える国内外の団体を紹介します。実際には哲学プラクティスを実践する団体はとても多くあるため、残念ながらここですべての団体を紹介することはできませんが、ここではその中でも特に精力的に活動を行なっている団体を紹介したいと思います。

◇団体

p4c japan

p4c（= philosophy for children、子どものための哲学）を実践する人たちの研究会を、主に関西近郊で毎月開催している。http://p4c-japan.com

ＵＴＣＰ

東京大学大学院総合文化研究科・教養学部付属「共生のための国際哲学研究センター」(University of Tokyo Center for Philosophy)。

二〇〇二年に政府の研究教育拠点形成事業により東京大学駒場キャンパスに設置された哲学研究センター。二〇一二年より大学付属のセンターとなった。以来、活動の一部として、Philosophy for Everyone（哲学をすべての人に）のプロジェクトを推進し、イベントや研究会を通して哲学対話や哲学教育等の理論と実践の探求を行っている。

特定非営利活動法人 こども哲学・おとな哲学 アーダコーダ

こどもとの哲学対話および、おとな同士の哲学対話のための講座・ワークショップを提供しているＮＰＯ。主催イベントの他に公共施設やメディアでの哲学対話に関する企画等への協力を通じて、哲学対話の普及を目的とする様々な活動に取り組んでいる。http://ardacoda.com/

国際哲学オリンピック

国際哲学オリンピックは一九九三年にブルガリア、ルーマニア、トルコの三か国の教師や哲学者によって始められた哲学のエッセー・コンテストで、現在は六〇カ国ほどの国の高校生が参加する大きなイベントとなっている。各国の予選を勝ち抜いた高校生たちが集まり、哲学の問いについてエッセーを書き、その質を競い合う。国際哲学オリンピックは、特に高校生たちの哲学の興味・関心を引き出すこと、国や人種を超えて哲学を通した人々のつながりを作ること、高校生たちが現実社会を批判的・反省的に考え直す機会を与えることなどを目的としており、こうした点が評価され、現在はユネスコからの支援を受けている。

学生団体 東京大学 UTSummer

高校生三〇名を全国から募集し、東京都檜原村で対話を中心とした三泊四日のサマーキャンプを開催する。プログラムの設計や当日のファシリテーターは東京大学を中心とする大学生スタッフ（約二〇名）が務め、高校生の参加者に対し、学校では実現が難しい同世代との対話の機会を提供することを目標とする。

企画の根幹には、高校生の抱える悩みや不安の多くが自分自身の存在や他者との関係の問題に帰着するという認識がある。また、問いの深掘りだけでなく個々の経験や考え方に光を当てることを心がけ、いわゆる哲学対話に加えてワークショップや自由度の高いプログラムを整備している。対話を通してそれぞれの参加者が互いの存在を正面から受け止め、自分自身について見つめ直すことのできる機会となることを目指す。http://utsummer.jp

日本哲学プラクティス学会

おもに対話という方法をもちいながら、哲学的なテーマについて共同で探求する実践的な活動にかんする、多分野からの専門的な研究のための学会。哲学や倫理学、宗教学だけでなく、教育学、心理学、社会学等の幅広い分野からの人々が集い、現在および将来の哲学プラクティスのあり方を根本的に議論できる場となることを目指している。https://philopracticejapan.jp/

哲学プラクティス連絡会

哲学カフェ、こどもの哲学、地域や仕事場での哲学対話、芸術的表現を介した哲学的コミュニケーション、哲学コンサルティングなど、さまざまな実践形態が含まれる哲学プラクティスの実践者・研究者が集まり、互いの活動を報告し、情報を交換しあうことを目的とする連絡会。学会ではなく、関心をもつ全ての人が、子どもも含めて集まり、相互に交流と親交を深めることを重視している。http://philosophicalpractice.jp/

表1　子どもの哲学の実践・普及を支える海外の団体の一例

正式名称	略称	国・地域
International Council of Philosophical Inquiry with Children	ICPIC	世界六〇カ国以上
SOPHIA Network	SOPHIA	ヨーロッパ諸国
North American Association for the Community of Inquiry	NAACI	北米諸国
Philosophy withy Children and Youth Network for Asia and Pacific	PCYNAP	アジア太平洋諸国
Engaged Philosophical Inquiry Consortium	EPIC	カナダ
Institute for the Advancement of Philosophy for Children	IAPC	アメリカ
Philosophy Learning And Teaching Organization	PLATO	アメリカ
University of Washington's Center in Philosophy for Children	なし	アメリカ
Centro Latinoamericano de Filosofia para Niños	CELAFIN	メキシコ

Red Colombiana de Filosofia para Niños	なし	コロンビア
Centro Brasileiro de Filosofia para Crianças	なし	ブラジル
Filosofia para Niños	なし	アルゼンチン
The Society for the Advancement of Philosophical Enquiry and Reflection in Education	SAPERE	イギリス
The Philosophy Foundation	なし	イギリス
DialogueWorks	なし	イギリス
Praktische Filosofie	なし	ベルギー
Austrian Centre for Philosophy for Children	ACPC	オーストリア
Centro de Filosofia para Niños	Centro FpN	スペイン
Centro Interdisciplinare di Ricerca Educativa sul Pensiero	CIREP	イタリア
The Institute of Philosophical Practice in Moscow	なし	ロシア

The Israeli Center for Philosophy in Education（イスラエル）	なし	イスラエル
Mind Boggles	なし	南アフリカ
Caterpillar Foundation（毛毛蟲）	Caterpillar	台湾
Korean Academy of Teaching Philosophy in School	KATPIS	韓国
P4C China（儿童哲学・中国）	なし	中国
Federation of Australian Philosophy in Schools Associations	FAPSA	オーストラリア（シンガポール・香港・ニュージーランドの団体も含む）
Philosophy for Children Association of New Zealand	P4C NZ	ニュージーランド（FAPSA の一団体）
Association for Philosophy in Learning	なし	シンガポール（FAPSA の一団体）

4 倫理基準

哲学プラクティスの取り組みを記録したり、調査したり、はたまた、実践者や参加者へのインタビューを通して、哲学プラクティスという実践をさまざまな角度から明らかにしようとする動きがあります。これらの取り組みは、哲学プラクティスをよりよいものにするために重要な役割を果たしています。しかし、注意すべき点もあります。ここでは、まず、哲学プラクティスを行う実践者が配慮すべき倫理的観点について説明します。そのうえで、実践者や調査者、あるいは参加者が哲学プラクティスの場をフィールドに記録、調査、インタビューなどを通してその実態を明らかにする際に気を付けるべき、倫理的に配慮すべき基本的な観点について説明します。

1 哲学プラクティスの実践において配慮されるべき倫理的観点

哲学プラクティスの実践者は、なによりもまず、その場に集まり哲学プラクティスの営みを行うすべての参加者の基本的人権を尊重しなければなりません。すべての参加者の権利を平等に、強制されることなく、公正なあり方で実践に臨む必要があります。実践者のみならず、参加者も肉体的、精神的苦痛を与えたり、与えられたりすることがあってはいけません。

また、実践者の権限を越えて、参加者が発言することを強要されたり、無理に参加させられたり、退席を命じられるなどということもあってはなりません（ただし、参加者が退席する自由は常にあります）。その場にいる参加者が心地よく考えを深めることのできる空間をいかにしたら作ることができるのか、常に考慮する視点が欠かせません。

そのうえで、哲学プラクティスを行うなかで知りえた個人情報の漏洩が起こることのないよう、実践者のみならず、その場にいる他の参加者も意識する必要があります。また、必要以上の個人情報の収集を避けるなどプライバシーの尊重を意識することは、哲学プラクティスを行う場を快適な空間にすることにもつながります。哲学プラクティスでなされる行為は一回性が高く、この場だから話すことができた、という事例も少なくありません。参加者本人から哲学プラクティスでの記録の使用の許可が得られている場合であっても、原則として実名を出さないことや、そこで知った情報を他の場面で大っぴらにすることを避けるなど、プライバシーへの配慮が必要となります。

2　調査・研究する際に配慮すべき倫理的観点

調査を行う際、自分自身のリサーチ・クエスチョンや調査方法などを考えることに没頭してしまい、調査の対象になる人たちへの倫理的な配慮をおろそかにしてしまうことがあります。これにより倫理的な問題（プライバシーの侵害といった人権に関わる問題、調査対象者を精神的に傷つけてしまうことなど）が生じた場合、調査対象者、協力者からの信頼だけでなく、そこで得られたデータの信頼性・妥当性もまた損なわれてしまうこととなります。そうしたことを避けるためにも、哲学プラクティスだけに関わらず、私たちは調査・研究をするなかでいくつかの重要な点を頭に入れておかなければなりません。

以下では、そうした中でも最も基本となる事柄を紹介します。なお、研究者が所属する大学、研究機関、学校、企業では倫理ガイドラインが設けられていることがありますので、研究を行う際には必ずそれを参照してください。また、世界基準のガイドラインとしてはしばしばアメリカ心理学会（APA）の倫理研究ガイドライン（https://www.apa.org/ethics/code/）が言及されることがあります。英語で書かれていますが、ぜひ読まれることをおすすめします。

（1）インフォームド・コンセント

調査者が調査・研究を行おうとするとき、まずは、どのような調査・研究をどのような目的で行うのか、対象者および調査期間の設定など、綿密な調査計画を立てる必要があります。しかし、実際に調査が行えるかどうかは調査者ではなく、調査協力者（学校の場合は、校長、教師、児童生徒、保護者など）の判断によります。そこで調査者は、適切に判断してもらえるように、十分な説明をする必要があります。研究の目的や調査の方法、研究成果をどのように公表するのか、また調査で得られたデータの保管方法など。十分な説明を行い、理解、納得、同意してもらうことがインフォームド・コンセントであり、調査協力者との適切な関係を築くうえでも重要な観点となります。

（2）調査対象者、協力者からの許諾

なによりもまず重要なのは、研究対象となるフィールドで活動を行っているすべての調査・研究対象者、協力者から調査・研究の許諾を得ることです。調査・研究の実施者が、研究機関に所属している場合であれば、調査・研究の実施に先立ち、所属する組織の倫理委員会等に具体的な研究計画を提示し、承認を得ることになります。所属機関に倫理委員会がない場合、もしくは、研究機関に所属せずに研究を行う場合であっても、研究協力者からの同意・承認を得たうえで調査を行うことが大切です。

また、倫理的な事柄について調査対象者や協力者、または第三者から質問があった場合、適切に答えられる、公開できるような研究計画・倫理ガイドラインを文章化し、用意する必要があります。そのうえで、承諾書や同意書を用いて調査・研究の詳しい説明を研究対象者に行い、許諾を得ます。フィールドを対象とした調査・研究は、なによりもまず研究対象者からの許諾を得られるかどうかが、研究を進めるうえでもっとも大切になります。

（3）調査対象者、協力者のプライバシー・個人情報の保護

哲学プラクティスの営みを調査・研究によって明らかにしようとしたとき、そこでは調査対象者、協力者のプライバシーへの配慮が必要となってきます。また、哲学対話では調査対象者、協力者の個人情報を含む話題が展開されることがあります。調査の期間が長くなればなるほど、調査対象者、協力者との関係が親しくなり、個人情報の扱いについて線引きが曖昧になり、不適切なものになる恐れがあります。特別な理由を除き、調査対象者、協力者個人を特定できる研究データを公開してはいけません。フィールドで知りえた情報を、紙媒体か電子媒体で保存するのか。また、保存場所は厳重に守られた場所であるか。さらには、データにアクセスすることができる人を明確にすることなども大切です（たとえばあなたが学生として実践・研究を行った場合、指導教員は元のデータにアクセスすることができるのかなど具体的に利

用範囲を定め、明確化することなど）。個人情報は絶対に漏洩することがないよう、慎重に保護、管理、破棄する必要があります。

（4）調査対象者、協力者への不利益の回避

調査者は、プライバシーおよび個人情報への配慮だけでなく、なにかしらの不利益が生じる可能性についても念頭にいれ、研究計画を立て、実施しなければなりません。なんらかの不利益が生じる可能性がある場合は、すぐ調査を中止する必要があります。そのため、いつでも研究への中止ができる権限は、調査者だけでなく調査対象者、協力者ともに、対等にもっていることが大切です。研究への協力は自由意思によるものであり、協力の拒否による不利益は一切生じないことや、研究開始後も回答したくない項目に対する回答拒否、実験の中止、回答の撤回をした場合でも何ら不利益を受けないことなどを説明、確認しておくことが重要です。

3　哲学相談（哲学カウンセリング・哲学コンサルティング）の注意

哲学プラクティスには「哲学相談（哲学カウンセリング、哲学コンサルティング）」という実践があります。これは個人であれ、グループであれ、相談者が、人生、社会問題、ときに自分の心理上の問題について哲学的に思考し理解するように、対話するという活動です。それ

は、自己に関する哲学的ケア、あるいは、自分の考えや思考の哲学的な精査だということができるでしょう。

哲学相談は、一九八〇年代に始まった活動ですが、これまで心理学的カウンセリングとの境界が問題になってきました。もとより、哲学相談は、資格の必要な心理学的カウンセリングとは区別されるべき活動です。テーマも、心理学的カウンセリングでは決して扱うことのないものが含まれます。たとえば、人生の問題（たとえば、就学、就労、転職、恋愛、結婚、人生の意義など）について相談することもあれば、身の回りの人間関係や組織の問題、社会問題についてまとまって考えたいために哲学相談のファシリテーターと話し合いたいという場合もあります。

それらの問題について哲学的に議論することは、自分の精神疾患や障害の治療を受ける心理学的カウンセリングとは全く異なることです。哲学相談は明確に定義される方法はなく、また心理学的カウンセリングのように資格が必要な活動ではありません。この点は、相談者にも最初によく説明をして、十分に哲学相談の趣旨を理解してもらう必要があります。場合によっては文書で説明しておく必要があるかもしれません。にもかかわらず、話し合いの中で、相談者の心理的な問題がテーマになっていくことはありえますし、それを解決したくて相談に来るケースもないとは言えません。

哲学相談の創始者であるアーヘンバハは、哲学相談は心理学的カウンセリングとは何の関係もなく、両者ははっきり区別されるべきだと言います。他方、ピータ・ラービは、哲学相談と心理学的カウンセリングは区別されるべきであるが、対話の流れの中で相談者の心の問題にテーマが移行することもあり、それが心理学的カウンセリングに混同されないためには、哲学相談の実践者にはある程度の臨床心理学の知識が必要だと言います。どちらの意見が正しいかはまだ決着をみませんが、少なくとも、心理学的カウンセリングの領域に資格も知識もなしに足を踏み入れないような注意が必要とされます。第5章1節4で述べた全国哲学相談協会のトレーニング講習を参照して下さい。

参考文献

鈴木淳子（2011）『質問紙デザインの技法』ナカニシヤ出版

公益社団法人日本心理学会　倫理規定（第3版）https://psych.or.jp/wp-content/uploads/2017/09/rinri_kitei.pdf

箕浦康子（1999）『フィールドワークの技法と実際―マイクロ・エスノグラフィー入門』ミネルヴァ書房

ピーター・B・ラービ著、加藤恒男ほか訳（2006）『哲学カウンセリング―理論と実践』法政大学出版局

5　オンラインによる哲学プラクティス

哲学プラクティスは、インターネットを介してオンラインでも、有効に実施できます。オンラインでの哲学対話には特有のメリットとデメリットがあります。

二〇一九年末から新型コロナウィルスが世界的に流行し、たくさんの人がインターネットを使っての在宅勤務や自宅学習を強いられました。ウェブを使った哲学対話は、それ以前から試みられてきましたが、今回のパンデミックを機会として、オンラインでの実践が非常に増えています。人間関係が限られた状況でこそ、私たちは他者との対話をより強く望みます。新型コロナウィルスの流行は不幸な出来事ですが、オンラインでの哲学プラクティスはこれをきっかけにして広く定着していくと思われます。震災や津波をきっかけとして哲学カフェが各地に広まったようにです。

ここでは、オンラインでの哲学プラクティスのやり方と特徴、メリットとデメリットについて簡潔に述べていきます。

1 オンライン哲学対話のやり方

オンラインでの哲学対話は、通常、ウェブ会議のためのアプリケーションを用いて行います。ウェブ会議アプリにはたくさん種類がありますが、基本的には、パソコンやパッド、スマートフォンのマイクとカメラを通じて、複数の人が画面で会議できるように作られています。数名しか参加できない比較的手軽なものから、数百名単位で双方向のやり取りができる大掛かりなものもあります。

アプリには便利な機能がたくさんついています。資料や映像を共有できる機能や、チャットする機能。参加者が自分の画像を停止したり、音声をミュートにしたりする機能。グループに分けて会議を行える機能や、録画・録音する機能がついているアプリもあります。リアクションをマークなどで簡単に送れる機能もあります。対話の目的に応じて、これら「画面共有」「ミュート」「映像停止」「チャット機能」「コメント」「ホワイトボード」「記録」などの機能を有効に使えば、対面では難しかったこともできるようになります。他方で、参加者が勝手に使って混乱を招かないように、使い方のルールをあらかじめ決めておいた方がよいかもしれません。

オンラインでの哲学対話の実施方法は、パソコンやスマートフォンを使ってのウェブ会議と変わりません。対話の進め方も基本的には対面での哲学対話と変わりません。決められた時間になったら、参加者は指定されたURLにアクセスしてログインし、参加者で対話を開始し、終了時にはログアウトします。ある程度の人数までならば、画面上に全員をタイル状に並べることができます（ギャラリービュー）。大人数の場合には、話者だけが映像として現れる形を取ることもできます（スピーカービュー）。映像は一切なしで、音声だけでやり取りすることもできます。

たとえば、二時間のオンラインでの哲学対話を企画するとしたら、以下のような流れが考えられます。

①問い出し／問い決め（三〇分）

対面での哲学対話の問い出しと変わりません。プレーンバニラのように、参加者が考えてみたい問いを自由に出し合うのもいいでしょう。また、事前に対話のテーマや素材としたい題材を参加者に提示しておき、確認してもらったうえで、問いを作るという方法も取れます。画面共有できる機能がついているアプリを用いる場合は、参加者全員と素材を鑑賞する時間を対面の時と同じように設けることもできます。

オンラインでの哲学対話の問い出しにおいて有効となるのが、チャット機能です。考えてみたい問いができた人からチャットに問いを書き込みます。また、なぜその問いを問いたいのか、簡単に理由も書き込んでもらえると問い決めがスムーズに行えるかもしれません。大人数で行うときには、この機能が特に有効です。

オンライン対話を行う場合、多少なりともタイムラグやそれぞれの環境が異なることもあり、対面の対話よりも時間がゆっくりと流れます。この点は、ゆっくりじっくり考える時間を提供する哲学対話には大切なことですが、実際の対話の時間を多く取るためにも、問い出しにおいてチャットの機能を有効に使うことはできそうです。

②対話（一時間一五分）

問いが決まったら対話を行います。対面の対話ではコミュニティーボールなどを用いて、話者を明確にしたり、話すための時間を確保したりすることができます。ファシリテーターや参加者は、他者の身体の動きや雰囲気を感じ、発言を投げることもできます。しかし、オンラインではこれらができないので、別の工夫が必要になります。

基本的には、話したいことがある人が画面の中で挙手を行い、ファシリテーターや参加者が指名するということになります。この時、自分の発言したいことが質問なのか、新しい意見なのか、反論なのか、など、発言の種類によってハンドサインを共有しておくと、少しわかりやすくなるかもしれません。

また、対話の中で気になった点、メモしたいことなどを参加者がそれぞれチャットに書き込んでいければ、対話の記録になり振り返る際の手助けになります。皆が書き込める「ホワイトボード」も有効に使えそうです。

③振り返り（一五分）

時間になったら哲学対話を終了しますが、時間の余裕がある場合は、チャットやホワイトボード機能を用いて、対話の中で考えたことや感想を共有してもいいかもしれません。

２　オンライン対話の特徴

オンライン対話は参加者の身体が対面とは異なった形で現れます。互いに顔だけが見えて、全身は見えにくくなります。ボディランゲージや仕草でのコミュニケーションは行いにくくなります。

ギャラリービューにすると、全員の顔が自分に相対して見えます。あたかも話者が壇上にいるように、自分が全員に相対します。皆が正面のスクリーンを注視します。顔がお互いに見えるので、話に集中できますが、それゆえ、かえって表情に変化がなくなります。一人が話している間に、隣の人と表情や目配せでコミュニケーションすることはできなくなります。そのために、参加者同士で特定の人だけに話しかけられるチャット機能があります。

スピーカービューにすると、その都度話者がクローズアップされますが、他の人がどうしているのか、どういう表情をしているのかが見えなくなります。参加者が多すぎると、誰が参加しているのかさえも分かりにくくなります。人間は、無意識にでも表情や仕草を示して、その場の雰囲気作りに参加しています。オンラインでは、この働きがかなり制限され、対面よりも参加意識が下がります。

また、オンライン対話では、自分の顔が自分に見えます。自分の顔が見えると不安ではありますが、同時に自身の振る舞いや、話し方に自覚的になるという契機とできるでしょう。

発言に関しても特徴があります。対面での対話と違って、話し出すタイミングをとりにくいときがあります。同時に話してしまうと、音声が被って混乱します。ファシリテーターは、発言の順番を制御する必要があります。逆に言えば、ひとりひとりがゆっくり話す機会が与えられるということでもあります。

3 メリット

(1) 遠隔でできる：当たり前ですが、これが最大のメリットです。哲学対話に参加したくても、これまで近隣で実施されていなかった。実施場所まで移動する時間がなかなか取れなかった。参加したいが、自宅から動けない。こうした人に哲学対話に参加してもらう機会を提供できます。録画した対話を、他の遠隔地の人に見てもらい、コメントや評価をもらったりすることも簡単になります。学校での実践を、大学の教員に指導してもらうこともやりやすくなるでしょう。海外の人とも、時差さえ考慮すれば、容易に対話できます。この圧倒的なメリットを利用しないことなどありえません。

（2）**気楽さ**：参加のために移動が必要ないことは、時間的にも、体力的にも楽なことです。移動費用が不要になり、金銭的負担も減ります。休日の早朝や、平日の夜分など、これまで実施の難しかった時間帯を利用できます。お子さんであれば、移動しにくい場所や時間帯でも参加可能になります。対面の会場を確保する必要もなくなり、飲み物を準備したりする必要もありません。実施のための準備が非常に簡略になります。

（3）**発言しやすさ**：映像や声などで対話するわけですから、直接に対面するときとは参加者の身体が異なって現れます。画面に顔が並ぶことによって、普段よりも他の参加者からのプレッシャーを感じないですむ人もいるようです。実際に相手がその場にいる時よりも、気楽に話せるという人もいます。対面よりも、オンラインではひとりひとりに発言の機会を回しやすくなります。チャット機能を使うと対話と同時並行で参加できるので、手を上げて話し始めるよりも、対話に入るきっかけをつかみやすい人もいるようです。

（4）**多様性**：これは、1〜3に関係してきますが、遠方の人や、これまで参加を躊躇していた人、仕事などでなかなか出られなかった人などが、気楽に参加することで参加者に多様性が生まれてきます。子どもの哲学であっても、学校の仲間や近所の友だちだけではなく、これまで会ったこともない遠方の、場合によっては海外の子どもと話をすることができます。参加者に多様性が生まれ、対話が弾み、深くなります。

（5）記録しやすい：全体の記録を取りたい場合には、記録機能が威力を発揮します。事前に参加者の了解をとってから記録しましょう。

4―デメリット

（1）オンライン環境整備の必要性：これは哲学対話に限りませんが、パソコンやパッド、通信環境が整わないとできません。とりわけ、児童生徒、学生を参加者にした対話の場合には、通信環境に気を使う必要があります。

また、ご家族のいる家庭や、他の人とルームシェアをしている場合などでは、オンラインの対話をするための部屋やスペースを確保しにくいことがあります。哲学カフェなど自発的に参加される企画ではこうした問題は生じないのですが、学校の授業など参加が求められている場合には、対話するための物理的なスペースが確保されているかどうかを気にする必要があります。

（2）セキュリティとプライバシー：これも哲学対話に限りませんが、場を荒らす人、いやがらせや妨害、詐欺などの乱入に注意する必要があります。IDとパスワードを参加者以外に教えない、それらの情報をSNSでは流さない、といったことを参加者に遵守してもらいましょう。不特定多数の人が参加するときには、プライバシー保護に気をつけます。本人の了解を得ずに、かってに画像や音声を記録しないように事前に通告します。場合によっては、顔を出したくない人には音声だけでの参加も認めるなどの配慮を考えましょう。また、自宅の部屋などを見られたくない人は、アプリの設定などを使って、背景をネット壁紙に変えられることをお知らせしましょう。

（3）時間がかかる：オンライン対話は、対面よりも時間がかかる傾向があります。私たちは、顔の表情や目線、仕草、身体の合図によって、無意識的に、言葉によるコミュニケーションを補っています。それがオンラインでは分かりにくくなります。誰に向けて話しかけているのかもはっきりしなくなります。対面であれば、手を上げるという簡単な動作で済むことが、オンラインでは確認が必要となります。目線で何かを伝えることも難しくなります。総じて、かなりのことを言葉で表現しなければならなくなり、その分、時間がかかります。しかし、身体的なコミュニケーションが制限されることで、かえって相手の意図や主張が分かりやすくなると感じる人もいるのです。そういう人にとっては、オンライン対話はやりやすいはずです。

（4）場所性や共同性の弱さ：これがオンライン対話の最大のデメリットです。ある場所に皆でいるという場所感やライブ感、イベント感が、ウェブ上では弱くなります。特定の場所にいることが対話の内容に影響を及ぼします。寺社や美術館での対話、自然に包まれた屋外での対話、夜景が見えるビルでの対話、コーヒーやワインの香りが漂うカフェでの対話。場所の違いが私たちの対話を変化させます。それが興味深いのです。ある場所でしかできない対話もあるでしょう。ですからファシリテーターは開催場所を吟味します。ウェブでは、こうした場所の共有ができなくなります。

体で感じる空気や雰囲気が弱いために、共同で何かを行ったといった一体感もできにくいかもしれません。誰かひとりが話し、それぞれが考える感じが強くなります。それゆえ、反省的な思考は深まりますが、皆で同じテーマを探求し、問いを分かち合っているという感覚が弱くなります。一緒に笑う、一緒に唸る、だんだん疲れたムードが伝搬する、といった身体的で感情的なつながりも弱くなるでしょう。地域創生を目的とした対話では、集団の連帯を強めることも目的ですので、オンラインだけではその効果が弱まるかもしれません。

（5）飽きやすさ：慣れもありますが、ウェブでの会議や対話では、対面よりも集中が求められ、疲れやすくなります。とくに小さな子どもは対面よりも早く飽きてしまいます。画面の前でジッとしていられなくなります。ウェブ会議の機能をうまく活用して、時間を短めにした方がよいかもしれません。

ウェブ会議アプリはさらに進化し、これらの特徴も変わるかもしれません。ここで重要なのは、オンラインでの哲学対話は、けっして対面の代替方法ではなく、独特のメリットとデメリットをもった新しい方法であり、新しい場だということです。オンラインの特徴をうまく利用して、哲学プラクティスの機会と場をさらに広げていきたいものです。

ら

な

は

ま

や

索　引

中川雅道（なかがわ　まさみち）第2章-1／第3章-5, 6

1986年生まれ。神戸大学附属中等教育学校教諭。専門分野：臨床哲学、子どものための哲学

主な著書：『哲学カフェのつくりかた』（共著、大阪大学出版会、2014）、『哲学する学校経営』（共著、教育情報出版、2019）

西山渓（にしやま　けい）第5章-1, 2, 3

1990年生まれ。開智国際大学教育学部専任講師。関西大学法学研究所嘱託研究員。専門分野：民主主義教育、現代政治理論、子ども・若者の政治経験、哲学プラクティス。

主な著書、論文：*Research methods in deliberative democracy*（分担執筆、Oxford University Press, 2022）、Using the community of inquiry for interviewing children: Theory and practice（*International Journal of Social Research Methodology*. 21(5): 553–564, 2018）

松川えり（まつかわ　えり）第2章-4, 5

1979年生まれ。カフェフィロ会員。専門分野：臨床哲学、ジェンダー・セクシュアリティ

主な著書、論文：『哲学カフェのつくりかた』（共著、大阪大学出版会、2014）、『この世界のしくみ―子どもの哲学2』（共著、毎日新聞出版、2018）

村瀬智之（むらせ　ともゆき）第2章-5／第3章-2, 5, 6／第4章-5

1980年生まれ。東京工業高等専門学校一般教育科准教授。専門分野：哲学教育・現代分析哲学

主な著書、論文：『この世界のしくみ―子どもの哲学2』（共著、毎日新聞出版、2018）、「「公共」の新しい授業方法と評価」（『「公共の扉」をひらく授業事例集』清水書院、pp.22–29. 2018）

古賀裕也（こが ゆうや）第4章-6
1978年生まれ。かえつ有明中・高等学校専任講師（社会科・地歴公民科主任）。専門分野：哲学プラクティス、教育の倫理、現象学
主な論文：「主体的・対話的な倫理学習についての研究協議—哲学対話の試み」（共著、『都倫研紀要』57: 31–37. 2019）、「哲学と教育を問い直す—「哲学対話」の実践と実存の観点から」(『哲学論集』48: 41–55. 2019)

齋藤元紀（さいとう もとき）第2章-1, 5, 6／第3章-1, 7
1968年生まれ。高千穂大学人間科学部教授。専門分野：現象学、解釈学、存在論、対話の哲学
主な著書、論文：『現代日本の四つの危機—哲学からの挑戦』（講談社、2015）、『21世紀の哲学をひらく—現代思想の最前線への招待』（ミネルヴァ書房、2016）、「対話的思考の真理—「子どもの哲学」をめぐる思想史的考察」（『子ども学』7: 45–66. 2019）

清水将吾（しみず しょうご）第2章-2.2／第4章-4
1978年生まれ。立教大学兼任講師、日本女子大学非常勤講師、東邦大学非常勤講師。専門分野：空間論、自我論、知覚の哲学
主な著書、論文：『大いなる夜の物語』（ぷねうま舎、2020）、「いかにして記憶は感覚を生み出すのか—形相からの質料の「発出」」（『ベルクソン『物質と記憶』を診断する—時間経験の哲学・意識の科学・美学・倫理学への展開』書肆心水、2017）

寺田俊郎（てらだ としろう）序章-1, 2／第2章-1／第3章-1, 3, 4
1962年生まれ。上智大学文学部教授。専門分野：カントの実践哲学、現代の実践哲学、臨床哲学
主な著書：『哲学カフェのつくりかた』（共著、大阪大学出版会、2014）、『どうすれば戦争はなくなるのか—カント『永遠平和のために』を読む』（現代書館、2019）

小川泰治（おがわ たいじ）第3章-7／第4章-3

1989年生まれ。宇部工業高等専門学校講師。専門分野：哲学教育、哲学プラクティス、倫理学

主な著書、論文：「「子どもの哲学」における知的安全性と真理の探究―何を言ってもよい場はいかにして可能か」（『現代生命哲学研究』6: 62–78. 2017）、『こども哲学ハンドブック―自由に考え、自由に話す場のつくり方』（共著、アルパカ、2019）

小川仁志（おがわ ひとし）第2章-1／第3章-7／第4章-1, 2

1970年生まれ。山口大学国際総合科学部教授。専門分野：公共哲学

主な著書：『公共性主義とは何か？』（教育評論社、2019）、『孤独を生き抜くための哲学』（河出書房新社、2020）

梶谷真司（かじたに しんじ）第2章-3

1966年生まれ。東京大学大学院総合文化研究科教授。専門分野：哲学（特に現象学）、医療史、比較文化

主な著書：『シュミッツ現象学の根本問題―身体と感情からの思索』（京都大学学術出版会、2002）、『考えるとはどういうことか―0歳から100歳までの哲学入門』（幻冬舎、2018）

神戸和佳子（ごうど わかこ）第2章-4／第3章-5

1987年生まれ。長野県立大学ソーシャル・イノベーション研究科講師。専門分野：哲学教育、教育哲学、日本教育思想史

主な著書、論文：『子どもの哲学―考えることをはじめた君へ』（共著、毎日新聞出版、2015）、『こころのナゾとき』シリーズ（共著、成美堂出版、2016）、『この世界のしくみ―子どもの哲学2』（共著、毎日新聞出版、2018）

執筆者紹介

河野哲也（こうの　てつや）序章-3／第2章-2.3／第3章-2／第5章-4.3, 5

1963年生まれ。立教大学文学部教授。専門分野：現象学、心の哲学、環境哲学、教育哲学

主な著書：『じぶんで考えじぶんで話せるこどもを育てる哲学レッスン』（河出書房新社、2018）、『対話ではじめる子どもの哲学―道徳ってなに？』全四巻（童心社、2019）、『人は語り続けるとき、考えていない―対話と思考の哲学』（岩波書店、2019）

得居千照（とくい　ちあき）第2章-2.1／第3章-4／第5章-4.1, 4.2

1989年生まれ。筑波大学大学院人間総合科学研究科博士後期課程。専門分野：教育学（社会科教育）

主な著書、論文：「哲学対話を通して社会的事象の見方・考え方を吟味する初等社会科授業の提案」（『21世紀の教育に求められる「社会的な見方・考え方」』帝国書院、pp.64–73. 2018）、「哲学対話における「学習としての評価」の役割―高等専門学校「対話としての哲学・倫理入門」「現代社会論」の実践分析を手がかりとして」（『社会科教育研究』132: 27–39. 2017）

永井玲衣（ながい　れい）第2章-2.3, 2.4, 3, 6／第3章-3, 7／第5章-2, 3

1991年生まれ。立教大学兼任講師、上智大学大学院文学研究科哲学専攻博士後期課程。専門分野：倫理学、哲学プラクティス、ケア、サルトル

主な論文：「探究の共同体における脆さと自己受容感覚」（『思考と対話』1: 34–44. 2019）、「道徳科の授業において「何をいってもよい」議論は許されるのか？」（『倫理道徳教育研究』2: 30–40. 2019）

ゼロからはじめる哲学対話

—哲学プラクティス・ハンドブック

Philosophical Dialogue for Beginners:
Philosophical Practice Manual

Edited by KONO Tetsuya
Editorial assistance provided by TOKUI Chiaki and NAGAI Rei

発行	2020年10月23日　初版1刷
	2023年9月5日　3刷
定価	2200円＋税
編者	© 河野哲也
発行者	松本功
装丁者	三木俊一（文京図案室）
印刷・製本所	シナノ
発行所	株式会社 ひつじ書房
	〒112-0011 東京都文京区千石2-1-2 大和ビル2F
	Tel.03-5319-4916 Fax.03-5319-4917
	郵便振替 00120-8-142852
	toiawase@hituzi.co.jp　https://www.hituzi.co.jp/

ISBN978-4-8234-1032-1